D0229003

# VOETSTAPPEN IN HET ZAND

Karin Peters

# Voetstappen in het zand

VCL-serie

ISBN 90 5977 018 8
NUR 344

© 2004, VCL-serie, Kampen
Omslagillustratie: Hans Ellens
Omslagbelettering: Van Soelen Reclame
ISSN 0923-134X

Alle rechten voorbehouden. Niets uit deze uitgave mag worden verveelvoudigd, opgeslagen in een geautomatiseerd gegevensbestand, of openbaar gemaakt, in enige vorm of op enige wijze, hetzij elektronisch, mechanisch, door fotokopieën, opnamen, of op enige andere manier, zonder voorafgaande schriftelijke toestemming van de uitgever.

De wind leek steeds in hevigheid toe te nemen. De nog kale bomen kreunden onder al dit geweld. Thijs Luiting was per fiets op weg naar zijn boerderij. Vanaf het dorp was het zo'n twintig minuten fietsen. Op zich hield hij er wel van de strijd met de elementen aan te gaan. Beweging was goed voor een mens zei men, hoewel hij daar als boer toch wel aan toe kwam.

En waarvoor diende al dat geploeter? Niet voor een flinke spaarrekening, dat was zeker. Sinds hij vanwege een geval van M.K.Z. zijn koeien en schapen had moeten opofferen, was het tobben. En niet alleen in financieel opzicht. Ook in de huiselijke sfeer liep niet alles op rolletjes. Omdat zijn vrouw Teresa verlangde naar een tweede kind, maar ze al maanden tevergeefs hoopte, was het thuis bepaald geen pais en vree.

Teresa was vaak somber en in zichzelf gekeerd. Zeker als ze haar maandelijkse periode had en dus opnieuw werd teleurgesteld. Waarom kon ze niet dankbaar zijn dat ze in elk geval Martijn hadden? In elk geval, Teresa's slechte humeur was een van de redenen dat hij hier nu fietste. Regelmatig ging hij na het werk even het dorp in, een biertje halen. Het was prettig met mensen te praten die in dezelfde omstandigheden verkeerden. Iedereen had zo zijn eigen zorgen, maar het was altijd een troost te weten dat je niet de enige was die piekerde en naar oplossingen zocht. Hij hoopte van harte dat hij een vergunning zou krijgen voor het opzetten van een camping. Er waren echter meerdere bedrijven die dat wilden, en men had natuurlijk gelijk als men zei dat niet de hele provincie moest veranderen in een kampeerterrein.

Hij woonde in zekere zin niet ongunstig, omdat achter zijn woning een groot stuk bos en heide lag. Van de vergoeding die hij had gekregen voor het ruimen van zijn vee had hij enkele rijpaarden aangeschaft. Maar nu, in de winter, kostten deze dieren alleen maar geld. Niets kon trouwens de ellende vergoeden die voortkwam uit het feit dat al zijn dieren waren afgemaakt. Teresa was dagen van slag geweest en Martijn had er helemaal niets van begrepen. Hij was met zijn lammetje achter de schuur gaan zitten, maar de heren in witte jassen waren onverbiddelijk geweest.

Thijs zuchtte in zichzelf, probeerde zijn gedachten een andere richting op te sturen. De wind rukte aan zijn kleren en loeide af en toe naargeestig. Het was nu niet ver meer. Een vaag lichtschijnsel scheen op het smalle pad dat hij moest inslaan naar zijn niet te grote, maar comfortabele huis, dat was omgeven door een hoge, ondoordringbare heg.

„Het lijkt wel een vesting," zei Teresa soms. Het was ook wel te begrijpen dat ze verlangde naar een groter gezin. Hij hoopte nu maar dat het zou lukken met de camping, dan zou zijn vrouw meer te doen krijgen en minder tijd hebben om te piekeren.

Teresa had nauwelijks familie, evenmin als hijzelf trouwens. Zijn ouders leefden nog wel, maar om nu te zeggen dat Teresa een goede band met hen had, zou overdreven zijn. Nu moest hij toegeven dat zijn ouders indertijd Teresa ook niet echt met open armen hadden ontvangen. De reden daarvan was vermoedelijk dat zijn vrouw in een tehuis was opgegroeid en dat ze nogal wat jonger was dan hijzelf.

Maar die camping... als Teresa maar begreep dat vakantiegangers niet zaten te wachten op een gastvrouw met een slecht humeur.

Ineens remde hij af. Hij hoorde een vreemd geluid. Het leek een beetje op het gejammer van een kat die in moeilijkheden zat. Als het Noortje was, de poes die Martijn ter compensatie van zijn lammetje had gekregen, dan kon hij maar beter even kijken. Het leek van onder de heg te komen.

Thijs zette zijn fiets op de standaard en lichtte bij met zijn zaklantaarn die hij in de wintertijd altijd bij zich had. Het was vrij donker, maar toch zag hij dat er iets onder de heg lag. Het leek wel een mand met een dekentje. De mand bewoog en daar klonk het geluid weer. Hij schrok, het leek wel op het gehuil van een baby. Even later wist Thijs zeker dat het een kind was. Dat kon toch niet? Een pasgeboren baby. Hulpeloos keek hij naar zijn vondst. Hij zou de mand met inhoud moeten meenemen naar binnen. Het zou onmenselijk zijn om het kind hier te laten liggen. Maar in dat ene moment van twijfel voorzag hij vele problemen, voor nu en voor zijn verdere leven.

Met de fiets aan de hand en de mand op zijn andere arm liep hij naar huis. Daar zette hij de fiets tegen de muur en opende de achterdeur met zijn sleutel. Teresa deed altijd alle deuren op slot als hij weg was. „Het is algemeen bekend dat hier niets te halen is," had hij weleens opgemerkt.

Hij liep nu regelrecht door naar de woonkamer waar zijn vrouw voor de televisie zat. Toen hij de mand op tafel zette, keek ze hem vragend aan. „Een cadeautje," maakte hij een niet al te geslaagd grapje.

Teresa stond op en tilde voorzichtig het dekentje op, alsof ze bang was dat er een bom onder lag. Ze staarde op het kindje neer en zei eerst niets. Ook Thijs zweeg. Hij wist op dit moment niets zinnigs aan te voeren.

Het kind zwaaide met de vuistjes en liet toen een zielig gehuil horen.

Teresa pakte de baby op en hield deze tegen zich aan.

„Is het een jongen of een meisje?" was het eerste wat Thijs te binnen schoot.

„Een meisje," was het antwoord. Ze overhandigde hem een briefje dat tussen het dekentje zat. *Roseline, drie dagen oud. Zorg voor haar.*

„Waar heb je haar gevonden?" vroeg Teresa.

„Ze lag onder de heg. Wie doet nu zoiets?"

„Ze is heel goed terechtgekomen," zei Teresa stellig. Hij zag iets in haar ogen waardoor hij wist dat hij beter niet tegen haar in kon gaan. Hij zou even moeten wachten met een redelijk gesprek. Maar hij hoopte van harte dat de gelegenheid daarvoor wel zou komen.

„Ze zal wel honger hebben," veronderstelde hij.

„Ik kan haar wat verdunde melk geven. Ik heb nog een flesje van Martijn."

„Martijn kreeg borstvoeding."

„Ja, maar dat is nu een beetje moeilijk." Een glimlach gleed over haar gezicht. „Ik zal het goed verdunnen. Hier." Ze duwde de baby in zijn armen en ging bedrijvig op zoek naar een flesje.

Thijs staarde ongemakkelijk op het kleine meisje neer. De oogjes waren stijf dichtgeknepen. Af en toe produceerde ze een huilgeluidje, maar tot echt doorhuilen kwam het niet. „Je kunt een pasgeboren kind toch maar niet zo onder een heg leggen en dan verwachten dat het allemaal goed komt," maakte hij zich kwaad. „We moeten dit wel aan de politie melden," zei hij toen Teresa terugkwam met een flesje halfvol met melk.

„O ja? Waarom eigenlijk? Deze baby is van iemand die geen kind wil. Dat is wel duidelijk. En dat ze nu juist bij ons terechtkwam is een vingerwijzing Gods." Thijs fronste. Als Teresa zo ging beginnen, zou hij weinig met argumenten opschieten. Als Teresa van mening was dat God aan haar kant stond, zou ze van geen wijken willen weten.

„Je begrijpt toch wel dat we haar niet kunnen houden?" probeerde hij opnieuw.

Ze stond voor hem en strekte haar armen naar het kind uit. „Als binnen korte tijd de moeder van dit kind komt opdagen, zal ik misschien overwegen haar weer uit handen te geven. Iedere andere mogelijkheid is uitgesloten," zei ze kortaf. Ze ging zitten met het kind op de arm en duwde de speen zachtjes tegen het mondje, waarop de baby onmiddellijk zuiggeluidjes begon te maken.

Met een lichte zucht ging Thijs weer zitten. Het kind dronk. Als dat niet was gelukt, hadden ze wel maatregelen moeten nemen. „Ze moet wel van iemand uit de buurt zijn," dacht hij hardop. Teresa haalde de schouders op. „Ik zou het niet weten."

„Dat móet wel. Welke vrouw uit een ander deel van het land komt hierheen en legt haar kind bij ons onder de heg? Misschien is het iemand die weet hoe jij naar een tweede kind verlangt."

„Dat weet niemand behalve jij."

„Toch moet ik het morgen aangeven," zei hij koppig. „Ieder pasgeboren kind moet worden aangegeven. Teresa, we kunnen niet net doen of jij een kind hebt gekregen. We wonen dan wel afgelegen, maar we zitten niet op een onbewoond eiland. Iets als dit kan niet verborgen blijven."

Teresa keek hem aan, er was iets onverzettelijks in

haar ogen. „Ik ga haar niet afgeven omdat een of andere instantie meent dat er een regeling moet worden getroffen."

Thijs deed er het zwijgen toe. Vanavond kon hij toch niets meer ondernemen. Maar hij zag de toekomst met enige zorg tegemoet. Als hij zag hoe liefdevol Teresa met het kindje omging, verbaasde hij zich. Hoe kon ze liefde voelen voor een volkomen vreemd kind? Of ging dat bij alle vrouwen zo? Een andere mogelijkheid was dat Teresa zo wanhopig naar een tweede kind verlangde, dat ze deze mogelijkheid onmiddellijk aangreep.

Toen ze naar bed gingen had Teresa de wieg van Martijn van zolder gehaald met alles wat daarbij hoorde en sliep het kleine meisje rustig. „We zetten haar bij ons op de slaapkamer," besliste Teresa.

Een beetje geprikkeld reageerde Thijs: „Denk je ook aan Martijn? Die kon hierdoor weleens van slag raken. En hij is toch het belangrijkste, of niet?"

„Ik leg het hem wel uit," antwoordde zijn vrouw.

Thijs had juist deze avond de plannen voor een camping nog eens uitvoerig willen doornemen. Maar Teresa had er geen aandacht voor gehad.

Hij werd de volgende morgen op dezelfde tijd wakker als altijd. Het verschil zat hem in zijn vrouw. Andere dagen sliep Teresa nog. Nu zat ze met een kussen in haar rug rechtop in bed en gaf het kindje de fles. Thijs werd er een beetje kriegelig van. Vooral van de vanzelfsprekende manier waarop ze dit deed. „Ik zal Martijn halen," besloot hij.

Zijn zoon zat rechtop in zijn bed en keek hem een beetje verontrust aan. Had hij toch iets gehoord?

„Er is een verrassing in mama's kamer," zei hij, het kind optillend. Toen hij de deur van hun slaapkamer opende, voelde hij Martijn verstrakken. Het mocht dan een idyllisch plaatje zijn, voor zijn zoon moest dit erop lijken of zijn plaats was ingenomen. „Wat is dat?" vroeg het kind wantrouwend.

„Dat zal ik jou eens vertellen." Thijs ging aan de andere kant op de rand van het bed zitten, Martijn nog steeds vasthoudend. „Toen ik gisteravond thuiskwam, heb ik dit kindje gevonden. Het lag onder de heg."

Zijn zoon keek hem ongelovig aan, en vroeg: „Is het dan toch waar wat die oude mevrouw zei? Kindjes worden door de ooievaar gebracht?"

Lieve help, kregen ze dat ook nog. „Kindjes komen uit mama's buik. We weten niet wie de mama van dit kleine meisje is."

Teresa keek eindelijk op. „Ik wil dit kindje graag houden, Martijn. Dan heb je eindelijk een zusje."

„Ik hoef geen zusje," zei het kind beslist.

„Misschien gaat het ook helemaal niet door," suste Thijs, de blik van zijn vrouw negerend. „Kom, dan gaan wij iets eten. Daarna mag je met papa mee."

„Waar ga je heen?" vroeg Teresa, en ze wilde het kind aan hem geven.

Thijs week echter wat terug, maar hield Martijn bij de hand. „Ik ga naar de politie en naar het gemeente-huis."

Plotseling zag hij tranen in de ogen van zijn vrouw. „Je wilt haar weer van mij afnemen."

„Ik wil geen dingen doen die tegen de wet zijn. Ik zal proberen te regelen of jij voor de baby mag zorgen tot ze de moeder hebben gevonden."

„Fantastisch. En wat als de moeder nooit wordt gevonden?"

„Dat zien we dan wel weer." Hij wilde haar geen valse hoop geven. In dergelijke gevallen werd de

11

moeder immers altijd gevonden. Hij wilde maar dat Teresa wat nuchterder tegen deze zaak aankeek. Haar houding kon alleen maar tot teleurstelling leiden.

Toen ze later aan tafel kwam en Thijs zijn handen vouwde voor een kort gebed, vroeg zijn vrouw: „Zou je God willen bidden of Hij wil zorgen dat het kind bij ons blijft?"

Thijs keek haar aan en schudde het hoofd. „Dat kan ik niet, Teresa. Zo kan ik niet met God onderhandelen. Stel je voor dat de baby is ontvoerd. Dan bidt de moeder nu wanhopig of ze haar kind terugkrijgt."

„Geloof je dat echt?" Geschrokken keek Teresa hem aan.

„Niet echt. Maar je weet evengoed als ik dat iemand dit kind hier niet heeft neergelegd met de bedoeling dat jij de moeder zou worden."

„Dat weet je juist niet," zei ze koppig.

Hij zuchtte en ging er niet verder op in. Zoals altijd sprak hij een simpel gebed uit. Teresa dacht dat zijzelf in elk geval zou bidden of ze de baby mocht houden. Ze had er alle vertrouwen in. Het was duidelijk leiding van boven dat het kleine meisje juist bij haar huis was neergelegd.

Teresa had het de hele morgen druk met de verzorging van Roseline. Ze was het niet meer gewend, maar ze genoot er enorm van. Voor ze 't wist, was de morgen om en moest ze zich haasten om het eten op tijd klaar te hebben. Ze aten altijd tussen de middag warm. Thijs bleef lang weg. Toen bedacht ze dat hij waarschijnlijk weer voor de camping op pad was.

Toen er onverwacht gebeld werd, liet ze bijna de ovenschaal uit haar handen vallen. Snel sloot ze de deur naar de kamer. Door het bewerkte glas van de voordeur zag ze vaag iemand staan.

Een vrouwenfiguur. De moeder die haar kind kwam halen? O, laat het niet waar zijn.

Ze opende de voordeur en beantwoordde de glimlach van de jonge vrouw niet. „Ja?" zei ze niet bepaald vriendelijk.

„Ik heb begrepen dat hier paardrijles wordt gegeven. Ik wilde graag een afspraak maken."

Teresa voelde zich even duizelig van opluchting. „Natuurlijk. Mijn man geeft de lessen, maar ik kan wel een afspraak maken. Kom even binnen."

Op dat moment begon de baby te huilen en Teresa keek de bezoekster met een haast schuldige blik aan. „Hebt u nog zo'n klein kindje?" vroeg de ander belangstellend.

Teresa knikte. „Ze is pas een paar weken. Ik kijk even of alles goed is." Ze liep de kamer in, terwijl het meisje ongevraagd volgde.

„Ach, wat een schatje. Wat is ze nog klein. Hoe oud zei u dat ze was?"

„Twee weken," zei Teresa, wetend dat ze zich nu op een weg begaf waarvan ze niet meer terug kon.

Ze regelde een afspraak met de jonge vrouw en juist toen ze haar uitliet, kwam Thijs eraan. De afspraak werd bevestigd, en toen zei het meisje: „Wat heb je een pracht van een dochter. En een zoon natuurlijk." Ze lachte naar Martijn die ernstig terugkeek.

Thijs wierp een snelle blik op zijn vrouw, maar ging er niet op in. Teresa liep naar binnen, ze wist dat hij nu kwaad was. Toen hij in de keuken kwam, was ze met haar rug naar hem toe bezig het vlees klaar te maken. „Hoe kon je dat zeggen?" zei hij ingehouden.

„Moest ik haar gelijk vertellen: ze is niet van mij. We vonden haar gisteravond onder de heg? Dan had

13

ze waarschijnlijk gedacht dat ik niet goed bij mijn hoofd was."

Thijs moest haar in zijn hart gelijk geven. Het was natuurlijk een vreemd verhaal. „In elk geval heb ik het voorval bij de politie gemeld. Ze komen zo gauw mogelijk langs. Ze willen een bericht voor de moeder in de krant laten zetten."

„Waarom zet je er zo'n haast achter?"

„Hoe eerder dit bekend is, hoe groter de kans dat we de moeder vinden."

„En als de moeder haar niet wil?"

„Ze kunnen haar verplichten voor haar kind te zorgen."

„En dáár komen nu al die kindermishandelingen uit voort," zei Teresa heftig.

„Je overdrijft. Misschien is het een jong meisje dat in paniek heeft gehandeld en nu alweer spijt heeft."

Teresa zweeg. Ze begon voor de zoveelste keer die dag aan het klaarmaken van een flesje. Als ze nuchter nadacht, begreep ze ook wel dat Thijs gelijk kon hebben. De kans was erg klein dat ze dit vondelingetje bij zich konden houden. Ze was er echter zeker van dat als de moeder werd gevonden, deze niet in staat zou zijn voor het kind te zorgen. En dan kwam het meisje op den duur in een pleeggezin terecht. Konden zij dan die taak beter niet gelijk op zich nemen?

Ze keek naar Thijs die bij zijn zoon op de grond zat. Ze maakten samen een puzzel.

„Eigenlijk verlang jij helemaal niet naar een tweede kind. Een zoon is genoeg voor jou," zei ze.

„Dat heb je mij nooit horen zeggen," antwoordde hij kortaf.

Teresa wist ook wel dat ze onredelijk was. Het verlangen naar een tweede kind kwam bij Thijs niet zo naar voren als bij haar, maar hij had meermalen gezegd dat het leuk zou zijn als Martijn een broertje of een zusje kreeg.

„Op deze manier een kind erbij heeft niet bepaald mijn voorkeur," zei hij opstaand. „Zelfs als de moeder zich nooit meldt, wat jij natuurlijk graag zou willen, dan vind ik het geen prettig idee een kind van een ander groot te brengen. Waar komt ze vandaan, uit welk milieu? Wie zijn haar ouders? Verslaafden misschien? Of is haar moeder een psychiatrische patiënte? Dat kan allemaal. Immers, een gezonde vrouw die ze allemaal op een rijtje heeft, legt haar pasgeboren kind niet ergens onder een heg."

Teresa liet dit alles even bezinken, terwijl ze de tafel dekte. Ze zei Martijn zijn handen te wassen en kreeg ineens te maken met een hevig tegenstribbelend jongetje. Dit was totaal tegen Martijns gewoonte in en Teresa reageerde kribbig. Thijs nam het van haar over, maar zei over zijn schouder: „Dat heb je er nou van." Teresa begreep wat hij bedoelde. Martijn voelde dat de aandacht van zijn moeder ergens anders lag en protesteerde daar op zijn manier tegen.

„Ik lees je straks voor," beloofde ze. Want het laatste wat ze wilde, was dat haar zoon zich tegen haar keerde. Thijs zou sneller overstag gaan als Martijn zijn zusje dolgraag wilde houden.

Die avond kwam er een journalist om hun verhaal op te tekenen. Hij nam een foto, terwijl de baby rustig lag te slapen. In zichzelf mompelde hij: „Wie herkent nu zo'n klein kind. Het heeft nog helemaal geen uiterlijke kenmerken." En tot Teresa: „Ze willen ook een televisie-oproep doen." Daarna was hij snel weer verdwenen.

Thijs merkte dat zijn vrouw over de zaak piekerde.

„De kans dat wij zelf nog een kind krijgen, is toch helemaal niet verkeken," zei hij. „Je bent pas tweeëndertig."

„Maar jij bent tien jaar ouder."

„Misschien wil je 't te graag," zei Thijs, die weigerde te geloven dat het aan zijn leeftijd lag.

Teresa keek hem woedend aan. „Jij praat alleen de dokter na."

„Nou, hij is de deskundige, dunkt mij. Jij zegt dat een kind een geschenk van God is. Misschien krijgen wij dat tweede geschenk wel nooit en dan zul je dat moeten accepteren."

„Ik denk dat God dit meisje op onze weg heeft gebracht."

Hij keek haar fronsend aan. Hij twijfelde heel erg aan deze zienswijze. Maar hij had ook niet het lef om haar stellig tegen te spreken. Soms leek Teresa precies te weten hoe Gods plannen in elkaar zaten. Hij had op dit moment geen zin in een eindeloze discussie hierover.

De volgende dag stond er inderdaad een stukje in de krant. *Baby gevonden in tuin bij familie in het oosten des lands.* Er volgde een beschrijving van de kleertjes, en ook de naam, Roseline, werd genoemd. Er kwam diezelfde dag iemand van een consultatiebureau die hun vertelde dat het meisje inderdaad nog geen week oud was. Maar ze leek kerngezond. Teresa kreeg wat voorschriften wat betreft de voeding en die dag riep ze Martijn erbij, elke keer als ze de baby het flesje gaf. Maar toen ze hem vroeg of hij het ook eens wilde proberen, weigerde hij.

Toen zijn vader hem de volgende dag naar school bracht, vroeg Martijn: „Wanneer gaat ze weg?"

„Wil je geen zusje?" probeerde Thijs.

„Dit is geen echt zusje. Ze is maar gevonden."

„Nou, daarom is ze juist erg alleen," deed Thijs een beroep op het medeleven van zijn zoon. „Stel nou dat haar moeder nooit meer terugkomt…"

„Doen moeders dat weleens, nooit meer terugkomen?" vroeg Martijn verontrust. „Denk je dat mama met het kindje weggaat, als wij niet goedvinden dat ze blijft?"

„Nee, nee natuurlijk niet," stelde Thijs hem haastig gerust. „Ik denk dat het kindje na een paar dagen wel wordt opgehaald." Dat hoop ik in elk geval, dacht hij erachteraan. Want ik ben niet zoals Teresa, die smelt voor elk vreemd kind. Als er niemand kwam opdagen die rechten op het kind kon doen gelden, dan zou zijn vrouw alles op alles zetten om de baby te houden. En als dat lukte, zou zijn vrouw willen dat hij het meisje behandelde of zij zijn dochter was. Hij wist nu al dat dat laatste hem veel moeite zou kosten.

Nadat er een week was verstreken, begon Teresa zich wat rustiger te voelen. Ondanks herhaalde oproepen had zich nog steeds niemand gemeld. Teresa gedroeg zich wat meer ontspannen en toonde interesse voor Thijs' plannen inzake de camping. En ze was duidelijk minder humeurig en vriendelijker. Thijs herkende in haar weer de vrouw uit hun eerste huwelijksjaren. Het feit dat de baby er was, deed haar goed, dat was duidelijk te merken.

Hij begon zich nu zelfs ook een beetje ongerust te maken dat Roseline uiteindelijk van hen afgenomen zou worden. Hij vreesde dat Teresa dat niet aan zou kunnen. Zelf gedroeg hij zich nog steeds wat afstandelijk tegenover het kind. Dat kwam mede door het feit dat Martijn zo duidelijk jaloers was.

Er verstreken nog enkele maanden en het werd voorjaar. Volgens de politie was er nog steeds geen enkele aanwijzing omtrent de herkomst van het kindje. Via allerlei instanties en veel administratieve rompslomp waren ze nu officieel als de pleegouders van Roseline aangewezen. Ze kregen regelmatig bezoek van iemand van de voogdijraad, dit tot ergernis van Teresa. „Ik zorg voor haar of ze van mezelf is, maar ik moet zo ongeveer toestemming vragen als ik haar voeding verander," zei ze verontwaardigd.

„Het is goed dat er in dergelijke situaties toezicht is," meende Thijs. Hij had nog steeds moeite het kleine meisje met de ondoorgrondelijke ogen als zijn dochter te zien. Maar tussen hem en Teresa ging het beter en dat was in elk geval winst.

## ❊ 2 ❊

Het huis met de witte luiken stond op een duinhelling die aan de ene zijde uitkwam op het brede strand. De jonge vrouw zat op het terras en keek uit over de zee. Het lijkt hier wel het eind van de wereld, dacht ze, niet voor de eerste keer. Tien kilometer verwijderd waren ze van de dichtstbijzijnde stad. Men moest hiernaartoe via een tweebaansweg waaraan geen eind leek te komen.

Lauren streek het donkere haar van haar warme voorhoofd en greep blindelings naar de hoed met de brede rand die vlak bij haar lag, en zette ook haar zonnebril op. Als Raoul maar niet zo laat thuiskwam, ze verveelde zich. Mogelijk gingen ze nog even zwemmen, of een strandwandeling maken.

Ze keek op bij het geluid van blote voeten op de stenen. Het was Fleur die haar wat te drinken bracht. Lauren bedankte haar met een knikje. Dit was het toch waarom ze alles had achtergelaten, dacht ze ironisch. Haar eigen gewone leven in een drukke Nederlandse stad had ze ingeruild voor dit. Haar werk in een verzorgingstehuis was niet echt enerverend te noemen, maar wat had ze meer kunnen verwachten? Haar moeder had in die tijd financieel geen enkele armslag, dus was het onmogelijk haar dochter te laten studeren. Het baantje in de supermarkt werd slecht betaald. Maar zij had altijd geprobeerd haar dochter het beste te geven, dat moest Lauren toegeven.

Ze dacht met een vaag gevoel van schuld aan haar moeder. Agnes had er altijd alleen voor gestaan. Haar vriend was spoorslags verdwenen toen ze op achttienjarige leeftijd zwanger bleek te zijn. Zo waren de meeste mannen, had Agnes verbitterd opgemerkt.

Voorzover Lauren wist, had haar moeder nooit meer een relatie gehad. Toen zijzelf voor het eerst met Raoul thuiskwam, had Agnes hem met een zeker wantrouwen bekeken. Later, toen ze met haar dochter alleen was, zei ze: „Zo'n man heb je niet alleen." Lauren had heftig geprotesteerd. Raoul hield echt van haar.

Hij was de zoon van een van de bewoners van het huis waar ze werkte. Van deze vrouw kwam ze veel te weten over haar zoon. Natuurlijk had Raoul eerder relaties gehad. Het zou vreemd zijn als het niet zo was. Zo'n knappe man die het helemaal gemaakt had. Raoul was makelaar en hield zich vooral bezig met de verkoop van woningen in Frankrijk, waar hijzelf ook de meeste tijd woonde. En dat was de reden dat hij niet veel tijd kon vrijmaken voor zijn moeder, zei de oudere vrouw met alle begrip.

Raoul kwam sinds hij Lauren kende wat vaker naar Nederland. Hij vertelde haar van zijn comfortabele bestaan in Frankrijk en Lauren zag een leven voor zich dat ze nooit voor mogelijk had gehouden. Raoul vroeg haar herhaalde malen bij hem te komen wonen. Lauren aarzelde, en waarschijnlijk prikkelde dat Raoul, omdat vrouwen hem zelden iets weigerden.

„Je wilt niet trouwen?" vroeg Lauren op een keer.

„Na verloop van tijd misschien," zei hij achteloos.

Hoewel Lauren verliefd was, had ze toch enige moeite met Raouls nonchalante manier van leven. „Hij doet aan God noch gebod," zei zijn moeder, alsof dat iets was om trots op te zijn. Nu was Lauren zeker niet diepgelovig te noemen, maar ze kende wel christelijke normen en waarden, ze was op een christelijke school geweest en bezocht af en toe een kerkdienst. Ook in haar werk kreeg ze met die kant van het leven te maken. Als ze een oude man devoot zijn handen zag vouwen voor het eten, ontroerde haar dat. Dan wist ze zeker: er is meer dan dit vluchtige leven. Maar zodra Raoul er was, dacht ze niet meer aan deze zaken. Lauren woonde op zichzelf in een simpele flat. Soms bleef Raoul slapen en Lauren kwam steeds meer tot de overtuiging dat ze hem niet kwijt wilde.

En toen bleek ze zwanger. Lauren had onmiddellijk geweten dat Raoul daar niet aan toe was. Dus verzweeg ze het feit lange tijd. Het lukte haar bijna een halfjaar de zwangerschap verborgen te houden. Haar moeder was de eerste die het opmerkte. Agnes' eerste vraag was dan ook: „Wat vindt Raoul hiervan?"

Op Laurens antwoord: „Hij weet het niet," zuchtte Agnes diep.

„Daar ben je dan mooi klaar mee. Heb je aan een abortus gedacht?"

„Absoluut niet," zei Lauren naar waarheid.

Agnes knikte. „Dan moet je het hem nu zo snel mogelijk vertellen."

Op dat moment was Raoul voor een week of vijf in Frankrijk voor zijn werk. Dus Lauren was zeven maanden zwanger toen ze hem weer zag. Het was nu onmogelijk geworden het feit voor hem te verbergen. Ze ontmoette Raoul in haar eigen flat.

Nadat hij haar had begroet, week ze wat achteruit en keek hem ernstig aan. Op dat moment wist ze ook heel zeker dat ze van hem hield en hem niet kwijt wilde. Ze zag de blik in zijn ogen veranderen. Eerst was er verbazing, toen ongeloof en woede. Op dat moment begreep ze dat hij terecht kwaad was. Ze had dit niet voor hem verborgen mogen houden.

„Wat heb je te zeggen?" vroeg hij hard.

„Het spijt me," fluisterde ze.

21

„En je denkt dat dat genoeg is. Van wie is het?"
„Van jou natuurlijk."
„Hoe kan ik dat zeker weten?"
Lauren begon te huilen. „Je weet best dat ik nooit..."
„Nee. Je bent een braaf meisje. Tot op zekere hoogte dan." Zijn toon was minachtend. „Waarom heb je mij niet tijdig ingelicht? Dan hadden we iets kunnen regelen."
„Wát regelen?" vroeg ze gespannen.
„Je weet best wat ik bedoel. Luister naar me, Lauren. Ik wilde je vragen met mij mee te gaan naar Frankrijk." Waarop hij haar opnieuw uitvoerig vertelde over zijn comfortabele huis aan de kust. En haar voorspiegelde hoe zijn leven er daar uitzag, iets waarvan Lauren alleen maar kon dromen. „Een kind past daar niet," zei hij beslist. „Je moet dus kiezen tussen mij en het kind."
„Er valt niet meer te kiezen," had ze bevend geantwoord. Ze zag ineens de leegte voor zich die zou ontstaan als Raoul uit haar leven verdween.
„Natuurlijk kun je nog kiezen. Er zijn genoeg mensen die dolgraag een kind willen," had hij luchtig opgemerkt.
Lauren, die nog steeds op het terras zat, stond nu op en begon de trap naar het strand af te dalen. Steeds als ze alleen was, kwam alles weer boven. Ze had uiteindelijk gekozen. Voor Raoul. Met het gevolg dat ze voor de rest van haar leven met een loodzwaar schuldgevoel rondliep.
Enkele dagen na Roselines geboorte was ze in haar autootje gestapt en naar het oosten van het land gereden. In de avond had ze haar baby achtergelaten bij een boerderij. Het geheel zag er welvarend uit en het

was een dorp waar veel mensen nog naar de kerk gingen. Voor de rest hoopte ze dat God voor haar dochter zou zorgen. Ze wist echter heel goed dat hetgeen ze deed volkomen in strijd was met alles wat ze ooit had geleerd over verantwoordelijkheid en liefde. Ze koos voor zichzelf en liet haar kind aan anderen over. En ondanks dat zou ze er nooit meer van kunnen loskomen.

Lauren liep langs de vloedlijn, terwijl haar tranen droogden door de wind. Ze was nu een jaar verder en Roseline was zelden uit haar gedachten. Raoul had Lauren beloofd dat ze in Frankrijk zouden trouwen, maar het was er nooit van gekomen. Telkens hield hij de boot af. Raoul praatte ook nooit over hun dochter, hij had het kind niet willen zien. Dat maakte dat ze zich vaak eenzaam voelde. Daarbij kwam dat ze vermoedde opnieuw zwanger te zijn en weer durfde ze het Raoul niet te vertellen. Ze was bang dat hij haar onder druk zou zetten voor een abortus. En dat wilde ze niet, voor geen geld. Toch kon ze zich niet echt voorstellen dat Raoul opnieuw van haar zou eisen dat ze een keus maakte. Ze was ervan overtuigd dat hij van haar hield. Hij kon zo onmenselijk niet zijn.

Ineens zag ze de man weer aankomen. Ze had hem al vaker op het strand gezien. Hij was altijd alleen en ze vroeg zich af wat hij hier deed. Had hij geen werk? Natuurlijk kon hij zich wat haar betrof hetzelfde afvragen. Maar mogelijk had hij haar weleens de trap naar haar huis zien beklimmen. Hij zou misschien denken dat ze personeel was. Ze zag er niet bepaald uit als de vrouw des huizes in haar jeans en wijde trui.

Toen ze elkaar passeerden, kruisten hun blikken elkaar en bleven ze gelijktijdig staan.

„Nu we elkaar steeds tegenkomen, lijkt het me goed

dat ik me voorstel. Stefan Linders," zei hij in het Frans.

„Dat klinkt heel erg Nederlands," flapte ze eruit.

Er kwam een verraste blik in zijn ogen. „Ik bén ook Nederlands."

„Ik ook. Lauren van Rijssel."

„Ben je hier met vakantie?"

„Ik woon hier." Ze knikte naar het huis boven aan de duinen.

Hij floot tussen zijn tanden. „Dat is niet niks. Daar woont toch die makelaar, Raoul Lucasse?"

„Hij is mijn vriend."

Hij knikte vaag. „Zullen we een eindje oplopen?"

Ze keek op haar horloge. „Ik denk dat Raoul zo thuiskomt."

„En hij rekent erop dat je op hem zit te wachten." Ze keek hem aan. Klonk dit een tikje spottend? Maar hij keek volkomen neutraal terug. „Ik wil zelf gewoon graag thuis zijn als hij arriveert. Raoul maakt vaak lange dagen." Ze zweeg. Wat had deze vreemde met haar leven te maken? „Waarom ben jij hier?" vroeg ze een tikje uitdagend.

„Ik woon in een van de zomerhuisjes langs deze kust. Ik was leraar. Ik kreeg mijn ontslag en ben nu bezig met schrijven."

„Je bent ontslagen? En er is een tekort aan onderwijskrachten!"

„Er was een reden voor," antwoordde hij, maar op een toon die haar waarschuwde niet verder te vragen.

„En heb je al een uitgever voor je boek?" vroeg ze.

Hij haalde de schouders op. „Misschien schrijf ik alleen voor mezelf."

Lauren keek hem aan. Hij had een prettig gezicht.

Bruine ogen met een sprankje humor en een diepe stem. „Je moet toch leven," zei ze aarzelend.

„Natuurlijk. Maar ik hoef niet zo in luxe te leven als jij doet. Ik kan met weinig toe."

„Je weet niet hoe ik leef," zei ze uitdagend.

„Daar kan ik me heel goed een voorstelling van maken. Ik heb Raoul weleens ontmoet. Maar goed, ieder is vrij om te leven zoals hij wil. Als jullie daar maar gelukkig mee zijn."

Gelukkig? dacht Lauren. „Ik ben vooral gelukkig omdat ik samen ben met Raoul," zei ze.

Hij knikte. „Dat is de juiste mentaliteit. Ik geloof dat hij inmiddels thuis is. Ga maar gauw."

Inderdaad zag ze Raoul aan de rand van het terras staan. Hij tuurde met zijn verrekijker het strand af. „Tot ziens," zei ze.

„Wie weet," was het antwoord, waarop hij verder liep.

Ze keek hem na. Hij was lang en een beetje slungelig. Ze kon zich hem heel goed voor de klas voorstellen. Waarom werd zo iemand ontslagen? Misschien wist Raoul er iets van?

Ze beklom de trap en ging naast Raoul staan. Hij legde zijn arm om haar heen en kuste haar op de wang. „Zag ik je met Stefan praten?"

„Ja, hij vertelde dat hij uit Nederland komt."

„En jij voelde je onmiddellijk thuis bij hem," plaagde hij.

„Het is wel leuk onverwacht in je eigen taal te kunnen praten," gaf ze toe.

„Wat heb je verder zoal gedaan?" vroeg hij. Hij maakte een gebaar naar Fleur om haar op te dragen iets te drinken te halen. Dat was iets waar Lauren nog steeds niet aan gewend was. Personeel dat hen op hun wenken bediende. Ze voelde zich er vaak verlegen mee. Het meisje was van haar eigen leeftijd of iets jonger. Daarnaast, ze had toch al zo weinig te doen, ze kon best voor zichzelf zorgen.

„Wat heb ik vandaag gedaan?" herhaalde ze toen ze haar drankje voor zich had. „Nou, om eerlijk te zijn, ik heb me een beetje verveeld. Er is hier weinig te doen."

Als we een kind hadden, zou dat anders zijn, dacht ze. Maar ze hield het voor zich. Het was nog te vroeg, vertelde ze zichzelf. Ze wist dat ze het pas zou vertellen als abortus onmogelijk was geworden.

Raoul vulde opnieuw zijn glas, Lauren hield haar hand op het hare. Raoul kon goed tegen drank. Dat moest ook wel, want bij elke transactie werd er gedronken. Raoul kwam ook weleens thuis dat ze dacht: hij is wel erg vrolijk. Maar ze zei er niets van.

„Zou je bij mij op kantoor willen werken?" vroeg Raoul plotseling.

Verrast keek ze hem aan. „Om wát te doen?"

„Telefoon aannemen, afspraken regelen. Later misschien eens met een koper mee om een huis te bekijken."

„Denk je dat mijn Frans daar goed genoeg voor is?"

„Dat wordt met de dag beter. Ik stel voor dat wij een avond in de week alleen maar Frans spreken. Daar steek je veel van op."

„Ik zou het best willen proberen."

„Goed, dat is dan geregeld."

Lauren wist dat ze hem nu moest vertellen van haar zwangerschap. Maar ze zweeg. Ze was veel te blij dat Raoul haar bij zijn werk wilde betrekken. „Van de week zal ik je een keer meenemen," zei Raoul nog. Als het maar lukt, dacht ze ineens wat onzeker. Raoul

26

kon erg veeleisend zijn en stond onmiddellijk klaar met kritiek.

„Ken jij Stefan al langer?" vroeg ze toen.

„Stefan Linders? Hij woont hier al zo'n halfjaar. Ik heb begrepen dat hij aan een boek werkt."

„Hij zei dat hij ontslagen was. Dat gebeurt toch niet vaak, nu er zoveel onderwijskrachten te weinig zijn."

„Misschien viel hij leerlingen lastig," zei Raoul achteloos.

„Hè? Bedoel je…"

„Ik bedoel niks. Ik opper een mogelijkheid."

„Zoiets mag je niet zomaar zeggen. Dat is een heel ernstige beschuldiging. Ik geloof er trouwens niets van."

„Je neemt alles gelijk zo serieus. Het was maar een grapje."

„Dat soort grapjes ligt mij niet zo," zei Lauren een beetje stijf.

„Wel, wel, daar komt ons brave meisje weer om de hoek kijken." Er was een spottend lichtje in Raouls blauwe ogen en Lauren wendde zich af. Waarom noemde hij haar soms braaf? Dat was wel het laatste wat ze was. Ze had haar eigen kind ergens onder een heg achtergelaten.

Wat was er van haar dochter geworden? Ze had nooit meer iets gehoord, ze waren de volgende dag al naar Frankrijk vertrokken. Opzettelijk had ze weinig contact gezocht met Agnes, de laatste maanden van haar zwangerschap. Vanuit Frankrijk had ze haar moeder geschreven dat haar kind was geadopteerd. Agnes had haar per brief bestookt met vragen, maar ze had teruggeschreven er verder niet over te willen praten. Haar telefoonnummer had ze nooit doorgegeven. Het gevolg was dat ze nu al maanden niets van

27

haar moeder had gehoord. Dat kon zo niet blijven. Op hetzelfde moment besloot ze haar een brief te schrijven.

De warme maaltijd werd opgediend door Fleur. Het werd altijd laat voor het meisje, maar ze leek daar geen problemen mee te hebben. Pas nadat ze alles in de vaatwasser had opgeborgen verdween ze.

„Ik zou best zelf voor het eten kunnen zorgen," opperde Lauren.

„Waarom? Fleur wordt goed betaald. Dat soort meisjes heeft veel geld nodig."

„Ze heeft nauwelijks tijd om het uit te geven," meende Lauren.

„Vraag haar of ze een dag in de week vrij wil nemen. Als ze dat wil, moet jij achter de pannen." Het klonk of hij niet verwachtte dat ze daar iets van terecht zou brengen.

„Ik kan prima koken," reageerde Lauren, half verontwaardigd.

„Oké, oké, zolang je geen Hollandse hutspot maakt, vind ik alles goed."

Lauren zei niets. Het ergerde haar weleens dat Raoul soms net deed of hij niets meer met Nederland te maken wilde hebben. Zelf had ze nog steeds het idee dat haar verblijf hier maar tijdelijk was.

Raoul zei dat hij veel administratie te doen had en verdween naar de zijkamer die hij als kantoor had ingericht.

Lauren ging in haar eigen kamer achter haar bureau zitten. Een brief aan haar moeder. Het was een hele tijd geleden dat ze haar had gezien. Na die ene brief over adoptie had ze weinig meer van zich laten horen. Ze had zich helemaal in haar nieuwe leven gestort. In het begin was het hier ook bijzonder enerverend geweest. Ze gingen veel uit, gaven soms een etentje voor een aantal vrienden van Raoul. Natuurlijk had Fleur het meeste werk gedaan, maar zij had wel geholpen. Ze ging in die eerste tijd ook vaak winkelen. Raoul wilde dat ze er perfect uitzag. In het begin had dit alles de pijn om haar achtergelaten dochter wat verdoofd. Maar zo langzamerhand was ze gaan beseffen dat ze, wat dat aanging, levenslang had. Het liefst zou ze teruggaan naar de plaats waar ze haar kindje had neergelegd. En dan via vragen erachter zien te komen wat er van de baby geworden was. Ze wist echter heel goed dat dit bijzonder onverstandig zou zijn. Want stel dat men erachter kwam wie ze was, dan zou ze mogelijk haar kind terugkrijgen. En Raoul wilde geen kind, daarover was hij zeer stellig geweest.

Ze zuchtte. Het was nog zeer de vraag hoe hij op deze nieuwe zwangerschap zou reageren. Maar stel je nu eens voor dat haar dochter in een tehuis was geplaatst. En dat terwijl zij hier zo comfortabel leefde. Indertijd had ze gedacht: God zal wel voor haar zorgen. Maar dat ontsloeg haar niet van haar eigen verantwoordelijkheid.

Nu eerst aan de brief beginnen. Dat leek echter gemakkelijker dan het was. Natuurlijk kon ze Agnes vertellen over haar leven zoals het nu was. Als ze echter dacht aan het eenvoudige appartement waar haar moeder woonde, had ze toch een zekere schroom. Ook al om het feit dat Agnes iedere dag van half negen tot zes in de supermarkt werkte. Ze nam op haar vrije dagen soms diensten over van collega's. Ze kon het geld goed gebruiken en Agnes was toch alleen. Maar de situatie kon intussen best veranderd zijn. Haar moeder was nog jong genoeg om een vriend te vinden.

Het kostte Lauren moeite haar velletje papier vol te krijgen. Ze plakte juist de enveloppe dicht toen Raoul binnenkwam. Duidelijk verbaasd vroeg hij: „Heb je een brief geschreven? Met de hand nog wel. Ik zou nauwelijks meer weten hoe het werkt."

„Gewoon in de brievenbus gooien met een postzegel erop. Of is de post ermee opgehouden?"

Raoul grinnikte. „De postbodes hebben vast hun langste tijd gehad."

Lauren zei niets, en stond op om de brief te gaan posten. Het begon al te schemeren, maar het was slechts een kwartier lopen en ze kende de weg goed. Ze vroeg niet of Raoul meeging, hij zou toch weigeren. Nog een beetje geërgerd liep ze om het huis heen het duinpad op. Hij moest niet net doen of ze achterlijk was omdat ze een brief schreef. Ze kon prima met de computer overweg, maar Agnes had zo'n ding niet, dus kon ze haar ook geen mail sturen.

Ze liep zo snel mogelijk, maar ze moest af en toe over doornstruiken stappen die het pad overwoekerden. Er was ook nog een andere weg waar je met de auto kon komen, maar deze was korter. Ze had zich echter niet gerealiseerd dat het al zo snel donker werd. Aan het eind van het duinpad sloeg ze een zijweg in die naar het dorp leidde. Daar, vlak bij een hotel, stond een brievenbus. Ze besloot over het strand terug te gaan, het leek daar minder donker dan in de duinen. Er was hier echter geen trap en de duinhelling was tamelijk steil. Lauren kreeg de neiging om zich als een kind naar beneden te laten rollen.

Halverwege bleef ze opeens staan. Ze hoorde iets. Het leek een soort piepend hijgen. Kwam er iemand achter haar aan rennen? In het halfdonker zag ze nauwelijks iets. Daar hoorde ze het weer, het geluid was vlak naast haar. Ineens moest ze aan haar baby denken. Zo verloren en alleen onder een heg. Maar dit was geen kind. Voorzichtig boog ze de struiken opzij, schramde daarbij haar handen. Lag daar een hond? Ze praatte zachtjes. „Kom maar, wat doe je daar? Kun je niet opstaan?"

In het halfdonker zag ze dat zijn halsband, met een korte ketting was vastgemaakt aan de taaie stam van een struik. De ketting was zo kort dat het dier gedwongen was te liggen en niet genoeg kracht kon zetten om zich los te rukken.

„Wie doet nou zoiets? Kom, ik zal je helpen," mompelde ze. Ze maakte de halsband los en de hond krabbelde overeind, maar toen zag ze dat het dier nauwelijks op zijn poten kon blijven staan. Of hij was gewond, of mogelijk bijna verhongerd en uitgeput. Ze liep een eindje, keek of het dier haar volgde. De hond schoof op zijn buik achter haar aan en jankte zacht. De tranen schoten haar in de ogen. „Welke schoft heeft je hier achtergelaten om dood te gaan? Kom, ik zal je dragen." Ze bukte zich en tilde het dier op. Het gewicht viel haar mee. Aan de kop te zien was de hond nog jong en hij was natuurlijk heel erg mager.

Even later liep ze op het strand. De hond had zijn kop op haar schouder gelegd en scheen haar volledig te vertrouwen. „Je kunt je lelijk in mensen vergissen," praatte ze tegen het dier. „Ik ben nu wel verontwaardigd dat ze jou hier zomaar hebben achtergelaten, maar zelf heb ik eens…" Ze zweeg. Er ging tegenwoordig geen dag voorbij of ze dacht aan haar baby.

De tocht verliep uiterst langzaam. Soms zette ze het dier even neer, maar als ze dan doorliep, begon de hond hulpeloos te janken. Pas toen ze onder aan de trap stond, dacht ze eraan wat Raoul hiervan zou zeggen. Hij zou natuurlijk ook medelijden met het dier hebben, stelde ze zichzelf gerust. Op het terras zette ze de hond neer en opende de deur naar de serre.

„Lieve help, waar bleef je zo lang?" Raoul klonk eerder geïrriteerd dan ongerust. „Je had die brief ook morgen kunnen posten."

„Er was een hond," begon Lauren.

„Vertel me nou niet dat je een omweg hebt genomen omdat je bang was voor een hond."

Lauren schoof de deur wat verder open en ging even later met het dier in haar armen in een stoel zitten. Raoul knipte de schemerlamp aan en zei eerst niets. Het was een jonge blonde retriever. „Iemand heeft hem in de duinen achtergelaten. Hij was vastgebonden," zei Lauren, nog steeds hevig verontwaardigd.

„Het is een bekend feit dat mensen soms op zo'n manier hun huisdieren dumpen," doceerde hij. „Waarom breng je dat beest mee hierheen? Ik wil echt geen hond."

„Maar ík wel," zei Lauren, koppig ineens. „Had je gewild dat ik hem daar liet liggen?"

„Daar was je wel overheen gekomen," zei hij cynisch.

Lauren wist waar hij op doelde en stond op. „Ik ga hem wat te eten geven." Ze gaf het beest in de keuken eerst een bak water die hij tot de laatste druppel leegslobberde. Intussen zocht ze in de koelkast en vond een flinke hoeveelheid gehakt. Als ze dit mengde met wat brood zou hij het wel lusten. Ze besefte dat een en ander voor de maaltijd van morgen was, maar dan moest Fleur maar opnieuw boodschappen doen.

Terwijl ze de jonge hond met kleine beetjes tegelijk te eten gaf, dacht ze aan Raouls opmerking. Dacht hij werkelijk dat ze het feit dat ze haar dochter had achtergelaten, schouderophalend naast zich neer had gelegd? De zaak als afgedaan beschouwde? Nu, dan kende hij haar maar slecht.

Toen de hond in haar ogen genoeg had gegeten, ging ze terug naar de serre. Tot haar verrassing kwam de hond nu achter haar aan. Dat beetje eten had hem dus al wat energie gegeven. Toen ze eenmaal zat, ging het dier aan haar voeten liggen, met zijn kop op haar schoenen. Bij elke beweging volgden zijn ogen haar.

„En wat nu?" vroeg Raoul die het tafereeltje even had zitten opnemen.

„We kunnen hem toch wel houden? Ik heb best tijd om een hond te verzorgen."

„Kan zijn, maar ik wil zo'n beest niet in huis. Het geeft alleen maar rommel en last. Ik breng hem morgen wel naar een asiel."

„Waar?" vroeg ze.

Hij haalde de schouders op. „Dat moet ik nog uitzoeken. Ik kan ook bij een boerderij vragen. Daar kan men altijd wel een hond erbij hebben."

„Om het dier voorgoed aan de ketting te leggen," zei Lauren, die gruwde van de manier waarop sommige hofhonden in deze streek werden behandeld. Ze waren vaak zo fel, dat de eigen baas er nauwelijks dichtbij durfde komen en het eten er van een afstand naartoe gooide. Hun hele hondenleven aan de ketting, en vaak ook nog getreiterd. Dat mocht dit dier niet overkomen. „Laat me hem toch houden," smeekte ze.

„Ik dacht dat we hadden afgesproken dat je voor mij ging werken? Waar blijf je dan met die hond?"

„Ik zou hem kunnen meenemen," aarzelde ze.

„En dan tussendoor uitlaten zeker. Ik wil dat je je werk serieus neemt."

„Mag ik hem in elk geval houden tot hij wat sterker

is?" vroeg Lauren, die een hekel aan zichzelf begon te krijgen, omdat ze zo smeekte. Raoul bromde iets wat ze maar als toestemming opvatte.

Toen ze naar bed ging, liet ze de hond in de gang op een plaid achter. Hij keek zielig jankend omhoog en Lauren wist zeker: als het dier goed had kunnen lopen, zou ze hem niet tegen kunnen houden. Hij zou achter haar de trap opkomen. Zonder dat Raoul het wist liet ze een lichtje branden.

Eenmaal in bed kroop ze dicht tegen Raoul aan. Ze was van plan geweest hem die avond te vertellen van haar zwangerschap. Maar zijn reactie op de hond had haar nog onzekerder gemaakt dan ze al was. Raoul streelde haar schouder, maar ze had het gevoel dat hij er met zijn gedachten niet bij was. En dat bleek ook wel, toen hij zei: „Ik heb het plan om dat project dat we hier hebben opgezet, ook in Spanje te starten."

„Je bedoelt zo'n appartementencomplex?"

Hij knikte. „Daar is veel vraag naar in Spanje."

„En wil je daar dan ook wonen?"

„Op den duur misschien, tijdelijk. Dat is toch een prachtleven, vol afwisseling: in verschillende vakantiegebieden wonen, op de mooiste plekjes."

„Maar je bent nergens thuis," zuchtte ze.

„Dat hoeft toch ook niet. We zijn jong en hebben nog een heel leven voor ons. Dan moet je voorkomen dat je op één plaats vastroest."

Lauren dacht aan haar zwangerschap en zweeg. Het was nu duidelijk niet het moment om hem daarover te vertellen.

Toen Raoul sliep, gleed ze zachtjes het bed uit. Ze wilde even bij de hond kijken. Ze hoorde hem in het begin af en toe piepen en wat heen en weer schuiven, maar nu was het al een tijdje stil. Ze opende zachtjes de deur en werd gelijk begroet door opgewonden gejank en een paar likken over haar blote voeten. „Maar ben je helemaal de trap opgekropen?" Ze bukte zich en tilde het dier op. Ze kon het echter niet over haar hart verkrijgen de hond weer naar beneden te brengen. Zacht schoof ze haar bed weer in en beval de hond op het kleedje te blijven liggen. Hij hield zijn kop scheef alsof hij er alles van begreep, maar probeerde toch tot drie keer toe op haar bed te klimmen. Uiteindelijk gaf hij zich gewonnen en bleef liggen.

Lauren vroeg zich af of hij ook zou gehoorzamen als hij sterker werd. Het dier was nu duidelijk bekaf. Maar ze zou het nooit weten, want de hond mocht niet blijven. Ze wist wel zeker dat Raoul zich niet zou laten ompraten.

De volgende morgen was ze eerder wakker dan Raoul. Tegen haar gewoonte in schoot ze gelijk haar bed uit. Ze nam de hond mee naar beneden. Ze gaf het dier in de keuken te eten en trok snel een joggingpak aan. Het dier moest uitgelaten worden en ze wilde niet dat Raoul op de een of andere manier last van het beest had. Ze liep maar een klein stukje door de duinen, de conditie van het dier was duidelijk nog niet optimaal.

Toen ze terugkwam, zat Raoul aan de keukentafel humeurig voor zich uit te kijken. „Je hebt me wakker gemaakt," bromde hij.

„Je sliep nog toen ik opstond," verdedigde ze zich.

„Ik ben niet gewend dat er zo vroeg iemand loopt te praten."

„Het was half acht."

Hij wierp een korte blik op de hond die hijgend bij de deur lag.

„Eigenlijk moet ik met hem naar de dierenarts," zei ze.

„Nou, als hij na behandeling sterk genoeg is om hier weg te kunnen, dan moet je dat maar doen. Een of andere injectie en hij is in orde."

„Remy." Ze gooide het dier een stukje worst toe dat hij keurig opving.

„Hóe noem je hem?"

„Ik noem hem Remy omdat hij een vondeling is, evenals het jongetje uit 'Alleen op de wereld'."

Er verscheen een frons boven zijn ogen. „Je kunt nu wel net doen of het dier jouw eigendom is door hem een naam te geven, maar dat spel gaat niet door."

Lauren werd plotseling kwaad. „Dat weet ik inmiddels wel. Evenals ik weet dat jij hier de baas bent en alles regelt. Net of het een soort gunst is dat ík hier ook mag wonen."

„Er zijn er genoeg die met je willen ruilen," antwoordde hij kortaf.

„Dat zal wel, maar die kijken ook maar naar de buitenkant." Ze stampte de kamer uit om te gaan douchen met de hond op haar hielen. Het dier ging keurig voor de badkamerdeur liggen.

Ze had zich wel iets op de hals gehaald, dacht Lauren, toen Remy haar later volgde de slaapkamer in. „Ben je van plan mij nooit meer uit het oog te verliezen?" mopperde ze.

Toen ze beneden kwam, reed Raoul juist weg en was Fleur gearriveerd. Lauren legde haar uit hoe ze aan de hond kwam. Het meisje schudde het hoofd en keek naar Remy of ze hem te vies vond om aan te pakken. Ze schreef het adres van een dierenasiel voor Lauren op. Daar kon ze echter pas heen als ze de auto had.

Lauren realiseerde zich weer eens dat ze toch wel erg geïsoleerd woonde. Ze kon ook de dierenarts bellen en vragen of hij hierheen kwam, maar dat zou Raoul vast niet goedvinden. In de regel smeet hij met geld. Maar het was wel zíjn geld. Ze was vergeten hem te vragen of ze ook een salaris zou verdienen als ze voor hem werkte. Maar ook dat zou geld zijn dat ze van hem kreeg. Ze kon beter ergens anders een baantje zoeken.

Uiteindelijk belde ze toch de dierenarts en deze verscheen aan het eind van de morgen. Hij onderzocht de hond, maar kon geen afwijkingen vinden. Behalve dat het dier ondervoed was en daardoor verzwakt. Remy kreeg een vitamine-injectie en een preparaat waardoor hij snel weer zou opknappen. De dierenarts vertelde haar nog dat ze de eerste dagen nog wat rustig aan moest doen met de hond en vertrok toen weer.

Toen Raoul die avond thuiskwam, zat Lauren in de kamer met de hond aan haar voeten. Toen hij zich over haar heen boog om haar een zoen te geven, sprong het dier overeind en blafte waarschuwend. Raoul week achteruit.

„Wat is dit voor onzin?" snauwde hij.

„Hij denkt dat hij me moet verdedigen," glimlachte Lauren.

„Ben jij hem dat aan het leren?"

„Natuurlijk niet."

„In elk geval, als ik morgen thuiskom, wil ik dat dier hier niet meer zien. Als hij hier dan nog rondloopt, zal ik hem persoonlijk wegbrengen."

Lauren antwoordde niet, ze wist dat hij het meende. Maar het ging haar niet alleen om het feit dat ze nu al aan het dier gehecht was. Het stond haar heel erg tegen dat Raoul zo duidelijk liet blijken dat zíjn wil wet was.

„Wie is er belangrijker, die hond of ik?" wilde Raoul weten.

„Jij natuurlijk. Het is alleen jammer dat er geen overleg mogelijk is."

„Lauren, moet je luisteren," probeerde Raoul op redelijke toon. „Heb ik het mis als ik denk dat je deze hond wilt ter compensatie van de baby?" Ze staarde hem aan en zei eerst niets. Raoul bleef haar vragend aankijken.

„De baby…?" herhaalde ze. „Je bedoelt ons kind dat ik op jouw aandringen achterliet."

„Lauren, je verdraait de boel. Ik heb je aangeraden

het kind te laten adopteren. Je koos zelf voor de meest dramatische oplossing."

„Jij had geen tijd om te wachten tot de officiële weg was bewandeld," beet Lauren hem toe.

Hij stond op, kwam achter haar stoel staan en legde zijn hand op haar schouder, waarop de hond zachtjes begon te grommen. Hij wierp het dier een geïrriteerde blik toe. „Wat wil je eigenlijk, Lauren? Wil je terug naar Nederland, op zoek naar het kind?"

Nog steeds praatte hij over Roseline of het een voorwerp was waar hij niets mee te maken had, dacht Lauren. Intussen dacht ze over zijn woorden na. Wilde ze dat? Zo het al mogelijk was? Wilde ze Raoul uit haar leven zien verdwijnen? Want dat dat zou gebeuren, wist ze wel zeker. Ze hield van Raoul. Ze had veel voor hem opgegeven. Maar het kind dat ze nu droeg zou ze níet opgeven.

Ze keek hem aan. „Ik zal een oplossing voor Remy zoeken," zei ze zonder op zijn vraag in te gaan.

Zijn blauwe ogen verzachtten zich. „Je zult gauw genoeg inzien dat het verstandig is. Door de zorg voor dat beest word je belemmerd in je vrijheid."

„Ik weet niet of het mij morgen al lukt hem kwijt te raken."

„Nee, nee, maar ik ben geen onmens."

Dat was hij ook niet, dacht Lauren. Hij was alleen egocentrisch. Alles draaide om hem. Ze geloofde heus wel dat hij van haar hield; zolang ze hem maar niet voor de voeten liep.

De volgende dag ging ze met Remy naar het strand. Ze droeg hem de trap af en liet hem toen vrij. Het dier holde een eindje voor haar uit en kwam weer terug. Van louter plezier rolde hij zich op zijn rug. Hij was duidelijk al een stuk opgeknapt. Ze keek in de bruine hondenogen die haar voortdurend in de gaten hielden en slikte haar opkomende tranen weg. Ze was toch wel erg labiel op dit moment. Maar ze kon het zichzelf wel toegeven: ze zou Remy dolgraag houden. Misschien had het inderdaad met Roseline te maken dat ze nu zo van streek was. Ze was namelijk opnieuw van plan een levend wezen dat op haar weg was gekomen in de steek te laten.

„Zo, je hebt dus een hond aangeschaft," klonk het plotseling achter haar. Ze draaide zich met een ruk om. Stefan, lang en slungelig met verwarde haren, boog zich naar de hond en liet het dier uitgebreid snuffelen. „Leuk beest," waardeerde hij.

„Ik mag hem niet houden." Het was eruit voor ze 't wist en Lauren hoopte van harte dat de wind de sporen van haar tranen had weggevaagd.

Hij bleef haar vragend aankijken. „Ik heb hem gevonden," verklaarde ze. Waarop ze vertelde hoe het gegaan was.

„Je kunt haar gerust houden. Die eigenaar wil haar vast niet meer terug," zei hij. Hij begreep haar opmerking duidelijk verkeerd.

„Raoul wil het niet. Hij houdt niet van dieren," verklaarde ze.

„Tja, dan wordt het moeilijk. Je moet het over zoiets samen eens zijn. Hoe heet ze?"

„Remy. Ik dacht dat het een hij was."

„Je hebt haar nog niet echt bestudeerd," begreep hij. Ze kreeg een kleur toen ze een plagend lichtje in zijn ogen zag. „Wat ga je nu met haar doen?"

Ze haalde de schouders op. „Raoul had het over een boerderij."

„Het arme beest. Geef haar dan maar liever aan mij."

„Meen je dat?" Haar hele gezicht klaarde op, haar groene ogen begonnen te stralen.

„Waarom niet?"

„O, wat ben ik daar blij om."

„Het doet me goed dat je er blijkbaar van uitgaat dat ik goed voor Remy zal zorgen. Loop je even met me mee, dan kun je zien waar ze terechtkomt."

Ze keek naar de hond die bij haar voeten was gaan liggen.

„Als het nog te veel voor haar is, dan draag ik haar wel. Of wil je eerst terug naar huis?"

Lauren dacht aan Raoul. Ze had tegen hem gezegd dat ze voor een oplossing zou zorgen. Nu deze kans zich aandiende, kon ze er maar beter onmiddellijk gebruik van maken.

„Ik ga wel met je mee. Hoe langer ze bij mij is, hoe meer ze aan mij gewend raakt."

„En andersom," meende hij.

Ze knikte. Ze vond het best moeilijk het dier bij Stefan achter te laten. Maar ze kon Remy niet houden en dit was in elk geval beter dan een boerderij of een asiel.

Ze liepen naast elkaar voort en Stefan praatte over Frankrijk en zijn bewoners. Hij vertelde haar wat anekdotes uit de tijd dat hij als leraar voor de klas stond.

„Verlang je er niet naar terug?" vroeg ze. Hij sprak er met zoveel plezier over.

„Ik zou niet meer hele dagen voor de klas willen staan. Ik ben daar niet geschikt voor. Maar ooit zal ik wel weer een aantal uren lesgeven. Op een school of aan een groepje cursisten. En jij, wat deed jij voor je hier kwam en in de zon ging zitten?"

„Dat klinkt tamelijk neerbuigend," zei ze koel.

„Ja, dat hoorde ik zelf ook. Sorry."

Ze liet het voor wat het was, en zei: „Ik werkte als verpleegkundige. Ik ontmoette Raoul bij zijn moeder."

„Dan heb je nu wel een heel ander leven."

Ze waren intussen een duinpad opgelopen. Stefan had Remy op de arm genomen. Verdedigend zei ze: „Ik mis mijn werk niet echt. Waarschijnlijk ga ik op kantoor bij Raoul werken."

Hij ging er niet op in, maar wees haar het huisje dat aan het eind van het pad stond. „Hier woon ik tijdelijk."

„Ik moet nu teruggaan," aarzelde ze.

„Wil je niet kijken waar Remy terechtkomt?"

Ze begreep dat het vreemd zou zijn als ze weigerde, dus volgde ze hem naar binnen. Stefan zette de hond neer, die onmiddellijk dit nieuwe terrein begon te verkennen.

De kamer was gezellig ingericht met in hoofdzaak natuurlijk materiaal, zoals hout en riet. Op de houten vloer lag een biezen mat. Er stond een bureau met een computer en een flink aantal boeken.

„Wil je iets drinken?" vroeg Stefan.

Even later dronken ze samen koffie. De hond lag aan haar voeten. Stefan zei dat hij straks eerst het dorp zou ingaan om wat te eten voor het dier te kopen. „Blijf je haar Remy noemen?" vroeg ze.

„Natuurlijk. Jij hebt haar die naam toch gegeven."

„Het hoeft jouw smaak niet te zijn."

„Ik vind het wel aardig."

Ze praatten nog wat over Remy en over honden in het algemeen.

„Blijf je hier wonen tot je boek af is?" vroeg Lauren toen.

Hij knikte. „Dat is inderdaad de bedoeling."

„Heb je geen... eh, vriendin?"

„Op het moment niet. Zij wilde indertijd niet mee hierheen. Anders dan jij dus." Het klonk alsof hij vond dat zijzelf weinig ruggengraat had getoond, meende Lauren.

„Ze zal niet voldoende van je hebben gehouden," zei ze.

„Zou kunnen," klonk het neutraal.

„En familie?" vroeg ze verder.

„Je wilt wel graag alles weten," constateerde hij.

Lauren kreeg een kleur. „Sorry."

„Het geeft niet. Ik heb een getrouwde zus met twee kinderen, maar ik kan niet altijd met haar overweg. Ik heb andere opvattingen over het omgaan met kinderen dan zij."

Even schoot het door Laurens gedachten: misschien valt hij kinderen lastig. Nee, ze mocht zich niet door een opmerking van Raoul laten beïnvloeden. Het was maar een slag in de lucht geweest van hem.

„Ik ga maar eens," zei ze opstaand, welke beweging ook Remy onmiddellijk overeind bracht. Ze bukte zich naar de hond. „Jij blijft nu hier wonen. Maar ik kom je nog eens opzoeken."

Stefan nam de hond op zijn arm en opende de deur voor haar. „Kom gerust nog eens langs," zei hij vriendelijk.

Ze liep snel weg tot haar oren buiten het bereik van het gejank van de hond waren. Dit was een heel goede oplossing, maar de tranen zaten haar opnieuw hoog. Maar de hond zou het goed hebben en ze zou haar nog weleens zien. Waarom had ze dan toch zo'n gevoel van eenzaamheid?

Iets wat er niet beter op werd toen ze weer in de

bungalow was aangekomen. Het was allemaal zo strak en clean hier. Het zag er vreselijk duur uit en dat was het vast ook geweest, maar het had in haar ogen allemaal weinig sfeer. Daar konden de enkele groene planten en de zogenaamd terloops neergelegde dure tijdschriften weinig aan veranderen.

Ze sloot even de ogen, ze was moe en slaperig. Ze wist dat dit kwam door haar zwangerschap. Verder had ze weinig klachten. Ze begon het echter wel aan haar kleren te merken. Lang niet alles paste haar nog. Ze had besloten Raoul in te lichten als ze op de helft van haar zwangerschap was. Soms had ze het idee dat Fleur iets vermoedde. Die kon haar zo intens opnemen.

Raoul was die avond niet al te laat thuis. Lauren lag weer op de bank en was nu werkelijk in slaap gevallen. Ze werd met een schok wakker toen hij zich over haar heen boog. „Zo laat is het nog niet," zei hij een beetje verbaasd.

Ze kwam overeind en leunde even duizelig tegen de kussens.

„Voel jij je wel goed?" vroeg hij.

„Ja hoor. Prima. Ik was alleen een beetje moe."

„Van het gesjouw met die hond. Waar is hij trouwens?"

„Het is een zij," zei ze werktuigelijk. „Ze is weg."

„Verstandig. Waar heb je haar gebracht?"

„Ze is bij Stefan Linders." Ze merkte zelf hoe gemakkelijk de naam over haar lippen kwam.

„Ben je hem gaan vragen of hij die hond wilde hebben?" Ze hoorde een begin van boosheid in zijn stem.

„Ik kwam Stefan tegen op het strand. We raakten aan de praat en zodoende…"

44

„Toen heb je mij als een onmens afgeschilderd," veronderstelde hij.

„Helemaal niet. Ik heb alleen gezegd dat jij geen hond wilde. En toen zei Stefan: geef haar maar aan mij." Raoul bleef haar aankijken. „Dat maakt toch niet uit. Ik wilde gewoon een goed tehuis voor haar," zei ze verdedigend.

„Ja, zo gaan die dingen soms. Ik ben ooit een vriendin aan hem kwijtgeraakt."

„Hè?"

„Ja, een Frans meisje. Evenals jij ontmoette ze hem op het strand. Binnen de kortste keren was ze verliefd op hem en liet mij in de steek."

„Ging ze bij hem wonen?" vroeg ze.

„Nee, de verliefdheid kwam maar van een kant. Stefan hanteert trucjes om vrouwen in te palmen."

„Daar heb ik niets van gemerkt," zei ze.

„Dat is het nu juist. Vrouwen hebben 't niet eens in de gaten voor het te laat is."

„Hoezo te laat? Ik heb niets met Stefan. Ik ben alleen blij dat hij de zorg voor Remy op zich wil nemen."

„Nu ga je zeker dagelijks kijken hoe het met de hond gaat?"

Ze begon te lachen. „Raoul, je bent gewoon jaloers. Je weet best dat ik al een paar jaar alleen aandacht heb voor jou."

Ze stond op en hij nam haar in zijn armen. „Laten we naar bed gaan," mompelde hij. Lauren stemde toe. Ze wist dat ze de laatste weken wat afhoudend was geweest. Bang als ze was dat hij zou merken dat ze dikker was geworden. Maar ze kon geen smoesjes blijven verzinnen. Dat zou hem zeker reden geven tot achterdocht.

Toen Raoul allang sliep lag Lauren nog wakker. Een Frans vriendinnetje. Wanneer was dat dan geweest? Toen ze hem voor het eerst ontmoette, woonde hij hier nog niet. Hij kwam wel al vaak in Frankrijk. Het moest voor haar tijd zijn geweest. Ze had echter de indruk gekregen dat Stefan hier nog geen jaar woonde. En dat zou betekenen dat Raoul een vriendin had gehad ten tijde van haar eerste zwangerschap. Was hij ervan uitgegaan dat ze het kind zou houden? Had hij toen al voor zichzelf besloten dat hij in dat geval niet met haar verder wilde? Sterker nog, had hij zelfs al een ander op het oog gehad? Nee, nu ging haar fantasie met haar op de loop. Toch moest ze niet te lang meer wachten met hem te vertellen dat hij vader werd. Zijn handen die op haar middel waren blijven rusten en zijn vraag: „Je wordt toch niet dikker?" hadden haar de adem doen inhouden. Zijn eigen antwoord: „Je neemt te weinig beweging, het is goed dat je gaat werken," had haar weer even gerustgesteld. Toch maakte ze zich zorgen. Raoul had vaak gezegd dat ze zo'n mooi figuurtje had. Dat zou nu snel gaan veranderen.

Ze wist dat sommige mannen hun zwangere vrouw mooi vonden, maar ze dacht niet dat Raoul daarbij hoorde. Stefan leek haar een heel ander type. Maar hij gebruikte trucjes, had Raoul gezegd. Trouwens, Stefan speelde geen rol in haar leven.

Enkele dagen later kwam er een brief van haar moeder. Ze was blij dat Raoul op dat moment niet thuis was. Ze wilde de brief in elk geval eerst zelf lezen.

*Lieve dochter,*
*Ik zou niet met een verwijt moeten beginnen. Maar*

*toch neem ik je kwalijk dat je zo lang niets van je hebt laten horen. Ik hou het er maar op dat je zo gelukkig bent met Raoul dat je al het andere vergeet. Ik lees uit je brief dat het je ook in materieel opzicht erg goed gaat. Ik gun je al die luxe van harte, als je maar niet denkt dat geluk daar inzit. Je denkt nu misschien dat ik een beetje aan het preken ben, zoals je het vroeger noemde. Misschien komt het omdat ik tegenwoordig weer naar de kerk ga. Ik ben daarmee begonnen toen jij met mijn kleinkind uit mijn leven verdween. Ik had last van schuldgevoelens. Waarom heb ik niet aangeboden voor je dochter te zorgen? Natuurlijk waren er problemen, maar gezien het feit dat je 't nu goed hebt, had je misschien financieel kunnen bijspringen.*

*Ik werk nog steeds in de supermarkt, maar minder dan eerst. Ik kreeg rugklachten en het leek mij verstandig wat gas terug te nemen, voor ik in de WAO terechtkwam. Het was gelukkig te regelen, maar ik heb het niet bepaald rijk.*

*Je vroeg mij of ik een vriend heb. Nee dus. Ik ben ook niet op zoek. Wat ik wel geprobeerd heb, is te achterhalen waar jouw dochter terecht is gekomen. Uiteindelijk vond ik in een krant een berichtje over een baby die gevonden was in het oosten van het land. Het schijnt ook op de tv te zijn geweest, maar dat heb ik gemist. De tijd klopte precies, maar jij zou je kind toch niet zomaar onder een heg deponeren? Het was winter, ze had wel kunnen doodvriezen. In elk geval, ik probeer een en ander uit mijn gedachten te zetten, wat maar ten dele lukt.*

*Vaak denk ik: Lauren, wat heb je gedaan? Je kind opgeven ter wille van rijkdom en luxe. En voor een man natuurlijk. Ik hoop maar dat je 't kunt verwer-*

*ken. Zie je dat deze brief toch op een preek begint te lijken?*
*In elk geval zal ik je pas weer schrijven nadat ik bericht van jou heb gekregen. Ik hoop dat het alles waard is geweest en dat je gelukkig bent. Liefs, je moeder Agnes.*

De eerste gedachte die bij Lauren opkwam, was: ik moet haar persoonlijk spreken, alles uitleggen. Kon mam hier maar logeren tegen de tijd dat ze uitgerekend was. Maar het was dan niet te vermijden dat Agnes haar eerste zwangerschap ter sprake zou brengen en Lauren wist niet of ze dat wel aan zou kunnen. Gedachten aan die tijd probeerde ze altijd weg te duwen, evenals haar moeder deed. Nu, na deze brief, zou haar dochter Roseline weer dagen geen moment uit haar gedachten zijn. Het feit dat haar moeder zelf op onderzoek uit was gegaan, stelde haar niet bepaald gerust. Als zij al zoveel gegevens kon verzamelen, dan kon de politie dat ook. Ze hoopte maar dat hun prioriteiten elders lagen. En dat haar dochter zo goed terecht was gekomen dat niemand zich nog afvroeg wie de moeder was.

Ze ging die week nog enkele malen naar het strand en kwam Stefan een keer tegen, samen met de hond. Het dier begroette haar enthousiast, maar de meeste aandacht schonk Remy nu toch aan haar nieuwe baas. „Trouweloos beest," mopperde ze.
Hij grinnikte. „Jaloers? Je moet maar denken: ik heb Raoul en die arme Stefan is maar alleen."
„Zo denk ik helemaal niet over je."
„Hoeft ook niet. Maar dat neemt niet weg dat ik het gezelschap van de hond bijzonder waardeer."

Het gaf Lauren een prettig gevoel dat de hond zo goed terecht was gekomen. Toen Stefan haar vroeg of ze meeging koffiedrinken, aarzelde ze, maar weigerde uiteindelijk. Hij accepteerde dit zonder commentaar en toen ze thuiskwam en Fleur op het terras vond, was ze blij dat ze niet met Stefan was meegegaan.

„Raoul werkt hard," zei het meisje, zonder inleiding.

„Ja?" Lauren was al bij voorbaat geërgerd. De adoratie van het meisje voor Raoul irriteerde haar.

„Stefan doet helemaal niks," was Fleurs volgende opmerking.

„Hij schrijft een boek," meende Lauren hem te moeten verdedigen.

„Voor zichzelf, of voor een uitgever?" Het klonk dermate neerbuigend dat Lauren haar verontwaardigd aankeek. Fleur haalde de schouders op, wierp nog een blik op het strand en ging naar binnen. Lauren vroeg zich even af of Raoul het meisje had opgedragen haar in de gaten te houden. Maar ze vond dit bij nader inzien belachelijk.

Terwijl Fleur kookte, begon Lauren met het dekken van de tafel. Ze zette een paar drijfschaaltjes met bloemen neer en ontstak de kaarsen in de zilveren kandelaar. Eigenlijk was het er de tijd niet meer voor, het was al eind maart, maar ze wilde een bepaalde sfeer scheppen voor datgene wat ze te zeggen had.

Toen Raoul thuiskwam, knikte hij waarderend, maar zei dat het jammer was dat hij niet veel tijd had. Hij had die avond een bespreking met enkele potentiële huizenkopers. „Ze zijn met name geïnteresseerd in een appartement in Spanje, dus ik heb gezegd dat ik daarin kan bemiddelen. Je begrijpt toch dat ik dat gesprek niet kan afzeggen?"

„Natuurlijk," zei ze strak. Ze was boos. Hoe lang zou ze haar geheim nog moeten bewaren? Tot ze erin stikte? Ze had het niet veel eerder durven vertellen, moest ze eerlijkheidshalve toegeven. Maar nu wilde ze ineens niets liever.

Toen Raoul tegenover haar zat, zei ze: „We hebben iets te vieren." Hij bleef haar afwachtend aankijken. „Vandaag is onze dochter Roseline veertien maanden."

Hij fronste. „Alsjeblieft, Lauren, daar zouden wij het nooit over hebben. Ik ga ervan uit dat er goed voor haar gezorgd wordt. Je hebt zelf voor deze oplossing gekozen, dus kom me niet aan met schuldgevoelens."

„Ik heb zélf voor deze oplossing gekozen? Ik had niets te kiezen, weet je nog?" Hij antwoordde niet.

Toen Fleur de kamer binnenkwam met het hoofdgerecht, zwegen ze beiden. Lauren nam een paar hapjes, maar schoof haar bord toen opzij.

„Wat mankeert eraan?" vroeg hij.

„Niets. Ik heb geen trek."

„Doe je aan de lijn?" Het klonk of hij dat inderdaad een goed idee zou vinden.

„Vind je 't nodig?"

„Nodig? Ik denk dat jij je gewicht in de gaten moet houden. De een wordt nu eenmaal sneller dik dan de ander."

„Ik denk dat ik er weinig aan kan doen. Ik ben weer zwanger."

Hij liet zijn vork zakken en staarde haar aan. „Je maakt zeker een grapje?"

„Absoluut niet."

„Hoe durfde je het zover te laten komen?"

„Sorry, Raoul, je was er wel zelf bij."

„Hebben wij overleg gepleegd? Nee dus! Je hebt dit

50

dus opnieuw in je eentje besloten. De vorige keer was je nog niet aan de pil, maar nu wel. Hoe kan dat? Moet ik de fabrikant van de anticonceptiepillen aanklagen?" Hij was steeds harder gaan praten. Lauren was blij dat Fleur geen Nederlands verstond. Ze zou toch wel doorhebben dat er iets goed fout zat.

„Ik ben de pil een keer vergeten, Raoul. Dat kan iedereen gebeuren. Ik heb het zeker niet met opzet gedaan. Maar ik moet toegeven dat ik het niet erg vind."

„Ook niet als ik je vertel dat er in mijn familie erfelijke ziekten voorkomen? Dat is de reden waarom ik niet naar kinderen verlang."

Ze zag nu erg bleek. „Wat bedoel je daarmee?" fluisterde ze.

„Ik heb een neefje met een ernstige spierziekte. Hij zal nooit kunnen lopen. De jongste zoon van mijn zus heeft het syndroom van Down. En een hartafwijking."

„Je hebt me dit nooit verteld," zei ze.

„Daar was geen aanleiding toe. Hoe kon ik weten dat je op je eigen houtje een besluit zou nemen? Hoe ver ben je nu?"

„Bijna vijf maanden."

„Goed. We zullen een afspraak maken voor een echo. En als blijkt dat het kind een afwijking heeft, moeten we het laten weghalen."

„Jij beslist wel heel gemakkelijk over leven en dood," zei ze. „En wat gebeurt er als alles goed is?"

„Dan zul jij het kind wel op de wereld willen zetten. En ik zal me erbij moeten neerleggen. We zullen zien hoe het afloopt." Hij stond op. „Ik moet nu weg. Zeg maar tegen Fleur dat ik geen tijd meer heb voor het dessert."

Lauren bleef wat verwezen zitten. Ze had iets te vieren had ze gezegd. Ze had heus niet veel enthousiasme van hem verwacht. En als ze eerlijk was, begreep ze wel dat hij zich bedrogen voelde. Natuurlijk had ze eerst moeten overleggen. Ze was de pil echt vergeten. Ze had het hem niet direct willen zeggen omdat ze bang was dat hij opnieuw over abortus zou beginnen. En dat zou ook gebeurd zijn. Maar ze had vanaf het begin geweten dat ze dit kind zou houden. Nu kwam Raoul aandragen met erfelijke ziekten. Het kon toch niet zo zijn dat hij dit zei om haar aan het wankelen te brengen? Nee, hoe kón ze zoiets denken? Ze zou echter moeten toegeven en een echo laten maken. En wat dan? Als het niet goed was? Dit was nog iets anders dan haar gezonde baby overlaten aan iemand anders. Dan laten we het weghalen, had Raoul gezegd. Lauren wist dat ze nooit achter zo'n beslissing zou kunnen staan. Dus wat dat aanging, kon ze net zo goed geen echo laten maken. Kon ze maar iemand om raad vragen.

Toen Raoul die avond thuiskwam, sliep ze nog niet. Ze had het gevoel dat ze nooit meer rustig zou kunnen slapen. Een ding wist ze zeker: ze zou er niet mee kunnen leven als ze deze zwangerschap liet afbreken.

Toen hij de slaapkamer binnenkwam, zat ze rechtop in bed. „Ik heb eens nagedacht."

„Nee hè, niet weer over hetzelfde. Je kent mijn standpunt."

„Jij kent míjn standpunt niet. En dat wil ik je graag laten horen," zei ze flinker dan ze zich voelde. Hij ging op de rand van het bed zitten en keek haar zwijgend aan. Ze zag de blik in zijn blauwe ogen en ineens sloeg de angst toe. Stel dat ze Raoul zou verliezen.

„Ik kan niet met mezelf leven als ik abortus laat plegen. Dit kindje leeft, ik heb het al enkele weken gevoeld."

„Maar stel nu eens dat het kind een handicap blijkt te hebben? Wat voor leven gaat zo'n kind dan tegemoet? En jij erbij." Hij noemde zichzelf niet. Het was net of hij er nu al niets mee te maken wilde hebben. „Jij staat er niet buiten," zei ze.

„Je hebt mij er niet in betrokken," antwoordde hij koel. „Je wist dat ik geen kinderen wilde. Maar goed, als alles in orde is, kan ik er misschien aan wennen. Laten we eerst maar eens afwachten."

„Nu we toch aan het praten zijn, Raoul, wil ik nog wat zeggen. Als dit kindje geboren wordt, wil ik graag getrouwd zijn. We zijn nu al zo lang samen..." Lauren zweeg angstig. Was ze nu te ver gegaan?

„Als de echo uitwijst dat het een gezond kindje is, kunnen we daar weleens over praten," antwoordde hij.

Toen Raoul sliep lag Lauren nog steeds wakker. Ze had Roseline in de steek gelaten, maar had het gevoel dat ze nu een tweede kans kreeg en dat ze deze niet mocht verprutsen. Ook als het kind een afwijking had, zou ze de verantwoordelijkheid op zich nemen. Er was evenveel kans dat alles goed was. Roseline was een volmaakt kindje geweest. Zoals altijd wanneer ze aan haar dochter dacht, schoten haar de tranen in de ogen. Ze wilde dat niet nog eens meemaken.

## ❃ 4 ❃

De volgende dag maakte Raoul zelf een afspraak met het ziekenhuis. Er was pas over drie weken plaats. Hij protesteerde dat dit zeker geen pret-echo was en uiteindelijk kreeg hij het een week eerder geregeld. Maar dan was ze bijna zes maanden zwanger, dacht Lauren. Aan één kant was ze daar blij om. Ze ging ervan uit dat een arts niet zou meewerken aan een abortus nu haar zwangerschap zo ver gevorderd was. Raoul noteerde de afspraak in zijn agenda, waaruit ze opmaakte dat hij in ieder geval met haar zou meegaan.

Voor die tijd ontmoette ze Stefan nog een keer op het strand. Ze zag hem al van verre aankomen. De wind blies haar wijde T-shirt strak en ze begreep dat hij wel móest zien wat er met haar aan de hand was. Ze wilde het ook niet langer verbergen, dacht ze opstandig.

Raoul had niet gewild dat ze 't aan iemand vertelde, maar het kon niet anders of Fleur had het ook begrepen. Raoul wilde echter aan de veilige kant blijven, want als er onverhoopt iets mis mocht zijn met het kind, had hij geen zin om iedereen tekst en uitleg te geven. Lauren was echter wel van plan haar moeder spoedig in te lichten.

En nu kwam ze dus Stefan tegen die Remy bij de halsband greep toen het dier in zijn enthousiasme tegen haar op wilde springen. Deze bezorgdheid deed Lauren prettig aan.

„Gaat het goed met Remy?" vroeg ze wat verlegen.

„Zoals je ziet, gaat het prima met haar. En met mij ook, dank je. En jij maakt het ook uitstekend, zie ik."

Ze knikte en kreeg een kleur vanwege zijn ironische

toon. Tot haar verbazing zei hij: „Het is toch geen taboe?"

„Nee, natuurlijk niet. We zijn er blij om. We gaan binnenkort trouwen."

Hij fronste zijn wenkbrauwen. „Je denkt toch niet dat het me stoort? Samenwonen en dan een kind krijgen is nu wel algemeen geaccepteerd."

„Wat bedoelde je dan met taboe? Waarom zou het een verboden onderwerp zijn?" vroeg ze.

„Ach, zomaar een onhandige opmerking. En heb je 't nu druk met het inrichten van de kinderkamer?"

Tot haar verrassing schoten haar de tranen in de ogen. „Nog niet. Ik heb nog tijd genoeg," zei ze. Stefan zei niets en Lauren maakte aanstalten om terug te gaan.

„Je bewaakster staat alweer op de uitkijk." Lauren volgde zijn blik. Fleur stond inderdaad aan de rand van het terras en keek haar richting uit. Ze slaakte een geërgerde zucht en liep na een korte groet in de richting van de trap. Toen ze boven kwam, bleek Fleur alweer verdwenen. Maar ze zou wat ze gezien had ongetwijfeld aan Raoul doorgeven, dacht Lauren.

En wat dan nog? Ze deed immers niets verkeerds. Raoul praatte ongetwijfeld dagelijks met vrouwen. Maar zij zag zelden iemand. Door haar zwangerschap was het aanbod van Raoul om op zijn kantoor te werken, even uitgesteld. Ze had geprotesteerd dat ze zich goed voelde, maar hij had geantwoord dat personeel er representatief uit moest zien. Ze had het verder maar laten gaan. Raoul was nu eenmaal erg op het uiterlijk gericht.

Twee weken hadden zelden zo lang geduurd, dacht Lauren toen ze eindelijk op weg waren naar het ziekenhuis. „Je blijft er toch bij?" vroeg ze toen ze uitgestapt waren.

„Als jij dat wilt," zei hij nonchalant.

„Het is geen verplichting," zei ze koel.

„O Lauren, wees niet zo lichtgeraakt. Ik hoop niet dat je zo blijft. Iedere keer als ik thuiskom, denk ik: hoe zal ze vandaag zijn? Kribbig, of somber, of vrolijk. Dat laatste gebeurt zelden."

Verbaasd keek ze hem aan.

„Je bent je nergens van bewust, hè? Nou, je hormonen spelen flink op," spotte hij.

Lauren ging er niet op in. Het had geen zin te zeggen dat zij altijd wat gespannen was tegen dat hij thuiskwam. En dat ze misschien aan stemmingen onderhevig was, omdat hij haar niet meer had aangeraakt sinds hij wist van haar zwangerschap. Hij gedroeg zich of ze een gevaarlijke ziekte had.

Ze moesten wachten. Raoul had moeite stil te blijven zitten. Hij stond op, liep naar het raam, ging weer zitten, bladerde in een tijdschrift, keek even later op de gang. Toen de zuster kwam, zei hij: „Als ik zo slordig was met mijn afspraken zou het niet goed gaan op mijn werk. Elf uur is voor mij elf uur."

De zuster keek op haar horloge. „Kwart over. Ja, het loopt weleens iets uit, meneer. We hebben niet alles in de hand zoals u misschien op uw werk. Komt u mee?" Dit laatste tegen Lauren die blij was dat de verpleegkundige zich niet ging verontschuldigen. Raoul dacht soms dat hij alles naar zijn hand kon zetten.

Even later lag Lauren op een smalle brancard met een monitor naast zich. De zuster smeerde een soort gel op haar buik. Raoul hield zich wat afzijdig, hij voelde zich duidelijk niet op zijn gemak. „U kunt gaan zitten," knikte de zuster hem toe.

56

„Komt er geen dokter?" vroeg hij.

„Ik doe dit dagelijks," antwoordde de vrouw kortaf.

Raoul zweeg, maar hij bleef staan. De zuster gleed nu met een apparaat over Laurens buik. Er klonk een geruis en een regelmatig gebonk. „Dat is het hartje," legde ze uit.

Ze legde Lauren uit wat er te zien was, maar deze kon alleen maar denken: laat het goed zijn. O God, laat er niets aan mankeren. Ik kan dit kind nu niet meer opgeven.

„Als u weigert te gaan zitten, wilt u dan wel op één plaats blijven staan?" viel de zuster plotseling uit.

„Verandert dat iets aan het resultaat?" vroeg Raoul sarcastisch.

„Het is veel te onrustig. U kunt ook op de gang wachten als u dat liever doet."

Lauren geneerde zich en wierp Raoul een smekende blik toe. Hij stond nu met zijn rug tegen de muur en staarde strak naar het scherm.

„Alles ziet er goed uit, voorzover ik kan zien," zei de zuster.

„U weet het niet zeker?" klonk Raoul.

„Honderd procent zekerheid kunnen we nooit geven. Maar ik denk toch dat we enkele zeer ernstige afwijkingen kunnen uitsluiten."

„Wel, wel, wat is de wetenschap toch ver gevorderd," klonk het ironisch. Waarop hij, nu zeer tot Laurens opluchting, het vertrek verliet.

„Sorry," zei ze zacht.

„We zullen het er maar op houden dat hij gespannen is," antwoordde de zuster.

„Is het echt goed, zuster? Er komen afwijkingen voor in zijn familie."

„Dat heb ik begrepen. Zoals ik al zei: honderd procent garantie kunnen we niet geven."

„Als het niet goed is, wil hij het kind niet." Laurens ogen schoten plotseling vol tranen.

„Dat zou nu toch veel te laat zijn. Laten we maar hopen dat het een gezond kindje is." Er was een glimp van medelijden in haar ogen zichtbaar. Ze moest wel denken dat ze een slecht huwelijk had, dacht Lauren. En toch was dat niet zo. Raoul was egoïstisch en op zichzelf gericht. Maar ze was er zeker van dat hij van haar hield. En zij van hem, hoewel de laatste maanden haar gedachten veel meer op de komende baby waren gericht.

Raoul wachtte op de gang en ze liepen zwijgend naar buiten. „Nu moeten we echt beginnen met de kinderkamer," zei ze toen ze in de auto zaten. „En zullen we ook ons huwelijk regelen?"

„Waarom zo'n haast?" Het klonk onwillig.

„Omdat een en ander over tweeënhalve maand klaar moet zijn. Er zijn ook kinderen die met zeven maanden komen, Raoul! Nu alles goed lijkt, ben je nu niet een beetje blij?"

Hij keek van terzijde naar haar, legde zijn hand op haar knie. „Ik probeer het, heus. Maar ik moet heel erg aan de gedachte wennen."

Lauren was blij met dit min of meer positieve antwoord. „Vind je 't goed dat ik het nu aan mijn moeder vertel?" vroeg ze.

Hij haalde de schouders op. „Je doet maar."

Lauren had de volgende weken nogal het een en ander te regelen. Ze reed enkele malen met Raoul mee naar de stad om inkopen te doen. Alles in huis was nog vrij nieuw, ze hoefden niet te schilderen. De muren van de kleine zonnige kamer waren in een zachte tint blauw gesaust. Lauren naaide nieuwe gordijnen en versierde de kamer met enkele posters en knuffels. Toen de meubels waren bezorgd en alles klaar was, had ze nog vier weken te gaan. Ze voelde zich nog steeds goed. Ze probeerde iedere dag een strandwandeling te maken en kwam daarbij regelmatig Stefan tegen. Ze maakten een praatje en ze ging ook wel bij hem koffiedrinken.

Ze nodigde hem echter nooit bij haar thuis uit. Hij vertelde haar dat zijn manuscript door een uitgever was geweigerd en door een andere zeer interessant werd gevonden. Men had hem gevraagd of hij kans zag een vervolg te schrijven en daar beraadde hij zich nog over. „Als ik het niet zie zitten, ga ik deze zomer terug naar Nederland," zei hij.

Laurens hart sloeg over van schrik en ze sprak zichzelf streng toe. Stefan was inmiddels een goede vriend van haar geworden, maar, naar ze hoopte, toch niet onmisbaar.

„Ik zal je missen," zei ze niettemin.

Hij glimlachte. „Ik jou ook. Ik ben zelden op zo'n prettige, vrijblijvende manier met een vrouw omgegaan."

„Vrijblijvend?" herhaalde ze aarzelend.

„Ja. Vriendschap tussen een man en een vrouw is altijd een beetje beladen. Maar ik wist vanaf het begin dat je bij Raoul hoorde. En wat later was je zwanger... dus..."

„En als dat niet zo was geweest. Als ik vrij was?" waagde ze.

Zijn bruine ogen keken haar indringend aan en een kleur vloog naar haar gezicht. Ze wendde zich af en nam een slokje van haar koffie.

„Wanneer verwacht je de baby?" ging Stefan op een veiliger onderwerp over.

„Nog drie weken. Ik ga naar het ziekenhuis."
Hij knikte. „Dat is hier gebruikelijk." Hij liep met
haar mee terug tot vlak bij de trap naar de bungalow.
Naar zijn zeggen deed hij dat omdat Remy dolgraag
op het strand was. Maar ze voelde er ook een zekere
bezorgdheid in. Eenmaal binnen ontweek ze Fleurs
beschuldigende blik.

Bij de post was een brief van haar moeder. Ze had
Agnes gebeld om het nieuws te vertellen en deze had
gezegd daar in een brief uitvoerig op terug te komen.
Ze had bij haar moeder een zekere reserve gevoeld,
dus ze was benieuwd wat er in de brief stond. Ze ging
op haar vaste plaatsje in de serre zitten en opende de
enveloppe.

*Lieve dochter,*
*Het verraste mij enorm te horen dat je zwanger bent.*
*Misschien reageerde ik daardoor nogal afstandelijk.*
*Gezien je voorgeschiedenis had ik namelijk niet*
*gedacht dat je zo spoedig weer in verwachting zou*
*raken. Je was destijds zo radicaal in je afwijzing. Of*
*mogelijk was het Raoul die je onder druk zette? Maar*
*goed, genoeg hierover, ik wil geen schuldgevoelens*
*oproepen. Ik kreeg de indruk dat je er blij mee bent en*
*ik hoop dat alles goed met je gaat. Ik zou je willen*
*voorstellen dat ik enkele weken naar je toe kom als de*
*baby er eenmaal is. Ik kan wel een paar weken vakan-*
*tie opnemen. Als je 't liever niet wilt, moet je 't eerlijk*
*zeggen."*

Agnes vertelde verder over haar werk dat haar soms
de keel uithing. Ze schreef ook over de tijd dat zijzelf
zwanger was van Lauren.
Toen deze de brief had gelezen, deed ze het epistel

terug in de enveloppe. Haar moeder hier enkele weken, daar kon ze zich op verheugen. Ze hoopte dat Raoul het goed zou vinden. Het leek haar een stuk prettiger dan dat Fleur voortdurend in haar buurt was. Die avond kreeg ze gelegenheid erover te beginnen. Raoul zei dat hij voor enkele dagen weg moest. „Nu? Dan ben ik dus 's nachts alleen," reageerde ze geschrokken.

„Fleur kan hier overnachten," zei hij luchtig.

„Maar wat als het dan begint?"

„Je moet nog twee weken. In het uiterste geval kan Fleur je naar het ziekenhuis rijden."

„Zou je het goedvinden als mijn moeder hier enige tijd komt logeren?" Ze had het gevoel dat dit het beste moment was voor die vraag, omdat Raoul zich duidelijk een beetje schuldig voelde.

Toch protesteerde hij nog zwakjes. „Wat kan ze hier doen? Ik zorg heus wel dat je hulp genoeg hebt."

„Ik vind het prettig als mijn moeder hier is. Ik krijg haar kleinkind. En jij bent zo vaak weg." Ze vond het niet helemaal eerlijk van zichzelf dat ze dit wapen hanteerde.

„Misschien is het nog niet zo gek," ging hij overstag. „Ik ben de komende maanden wat vaker in Spanje, vanwege dat bouwproject waar ik je over vertelde. Het is voor jou dan wel prettig als je een vertrouwd iemand om je heen hebt. Hoewel je Fleur zo langzamerhand toch ook goed kent."

Kortaf zei ze: „Met haar word ik nooit vertrouwd. Ik heb het gevoel dat ze mij bespioneert."

Hij fronste zijn wenkbrauwen. „Gebeurt hier iets wat spionage rechtvaardigt?"

„Natuurlijk niet. Ze is gewoon nieuwsgierig." Ze ging er verder niet op in. Raoul mocht Fleur graag, dat had ze weleens gemerkt. En het meisje adoreerde hem gewoon.

Toen ze dit eens tegen Raoul zei, had hij schouder-ophalend geantwoord: „Een kind van nauwelijks achttien jaar." Nou, een kind was ze zeker niet, maar als Raoul dat niet opviel, des te beter.

Ze schreef haar moeder dat ze welkom was zodra de baby was geboren. Liever had ze haar zo gauw mogelijk gevraagd, want ze vond het idee dat Raoul vier dagen weg zou zijn, helemaal niet prettig. Maar haar moeders vakantie was niet onbeperkt.

Toch nam ze opgewekt afscheid van Raoul. Ze voelde zich prima. Ze was de vorige dag nog voor controle geweest en alles was goed.

Fleur installeerde zich in de logeerkamer. Lauren vroeg haar de eerste avond of ze bij haar kwam zitten. Fleur deed wat ze vroeg en hield zich bezig met een cryptogram. Lauren probeerde een paar keer een gesprek te beginnen, maar de eenlettergrepige ant-woorden van Fleur ontmoedigden haar al snel.

De volgende dag was het stralend weer. De hemel was strakblauw en de zee glinsterde in de zon. „Ik ga naar het strand," zei Lauren.

Het meisje trok een rimpel boven haar ogen. „Zal ik meegaan?" Deze bezorgdheid deed Lauren toch goed.

„Dat hoeft echt niet. Ik blijf niet lang weg."

„We krijgen onweer."

Lauren keek haar ongelovig aan. „Daar ziet het niet bepaald naar uit."

Fleur zei niets meer, maar haar gezicht zei: „Je moet het zelf maar weten. Ik heb je gewaarschuwd."

Toen Lauren de trap afdaalde, had ze weer dat zware gevoel in haar buik. Volgens de dokter kwam dat omdat het kindje was ingedaald. Ze was klaar voor de bevalling had de arts er nog aan toegevoegd. Maar evengoed kon het nog twee weken duren. Ze deed er echter verstandig aan om niet te ver meer van huis te gaan. Nu, ze kwam al maanden niet verder dan dit plekje in de duinen. Ze was een echte huismus geworden.

Toen ze Stefan zag aankomen, zuchtte ze diep. Ze keek altijd naar hem uit en hij was er meestal. Remy was een stuk forser geworden, het dier begroette haar nog altijd enthousiast.

„Zo, je blijft het maar volhouden," waren Stefans eerste woorden.

„Ik voel me prima," zei ze. En direct erachteraan: „Raoul is een paar dagen weg." Gelijk had ze spijt van die woorden. Het zou erop lijken of ze bang was alleen te zijn. „Fleur blijft slapen," zei ze daarom snel.

Hij haalde de wenkbrauwen op. „Wat kan zo'n meisje nou beginnen als de nood aan de man komt? De meeste kinderen worden 's nachts geboren." Toen hij haar gezicht zag betrekken, legde hij een hand op haar schouder. „Sorry, ik wilde je niet bang maken."

„Ik had ook liever dat hij thuis was," gaf ze toe. Stefan zei niet wat hij op dat moment dacht: welke vlerk liet zijn vrouw onder dergelijke omstandigheden alleen?

„Ik zal je mijn telefoonnummer geven," zei hij toen en diepte een kaartje op uit zijn binnenzak.

Lauren nam het aan, maar dacht tegelijkertijd dat er toch wel heel wat moest gebeuren wilde ze Stefan bellen. Niettemin was het een geruststellend gevoel dit kaartje te hebben.

Ze liepen nog wat verder het strand op, maar toen hij haar vroeg of ze meeging koffiedrinken, weigerde ze. Ze voelde zich een beetje misselijk. Dat was vast van de spanning omdat ze alleen was. Ze wilde daar echter niet aan toegeven.

Stefan liep met haar mee terug, bracht haar zelfs tot boven aan de trap. Merkte hij dat het vandaag allemaal wat moeizamer ging? „Fleur zei dat het gaat onweren," zei ze toen ze eenmaal boven waren.

„Men heeft het tegen de avond voorspeld," beaamde hij. „Maar voorspellingen komen lang niet altijd uit."

Toen Fleur het terras opkwam, keek ze niet eens naar Stefan. Ze negeerde hem, zei tot Lauren: „Raoul heeft gebeld. Hij vroeg me om je te vragen niet meer naar het strand te gaan. Je zou kunnen vallen op de trap." Hoewel Lauren zich ook een beetje ergerde aan Raouls bevelen op afstand, deed zijn bezorgdheid haar toch goed. Ze vond het ook wel goed dat Stefan dit hoorde. Ze had de indruk gekregen dat hij 't maar een vreemde zaak vond dat Raoul was weggegaan.

„Wil je koffie?" vroeg ze.

Stefan schudde het hoofd. „Je bewaakster ziet me liever gaan dan komen," fluisterde hij. Ze keek naar Fleur, die inderdaad als een soort politieagent in de deuropening stond.

„Stefan gaat weg. Wil je voor mij iets te drinken halen?" vroeg ze.

„Dus je weet het," zei Stefan voor hij de trap afdaalde, „ik ben de komende dagen bereikbaar."

„Bedankt. Maar het zal vast niet nodig zijn," zei ze met een dapper lachje.

Stefan dacht er het zijne van. Hij had Lauren een paar keer haar gezicht zien vertrekken. Nu was het mogelijk dat ze hoofdpijn had, of een blaar op haar voet, maar hij voelde zich toch niet helemaal gerust.

Aan Fleur zou ze vast niet veel steun hebben. Het meisje mocht dan zeer gecharmeerd zijn van haar baas, ze was dat duidelijk niet van zijn vriendin. Ze gingen trouwen, had Lauren gezegd. Nou, hij moest het nog zien. Voorzover hij Raoul kende, was hij geen type om te trouwen.

Toen hij hier pas woonde, had hij hem enkele keren ontmoet. Raoul was er toen heel openhartig over. Hij was geen type voor een langdurige, vaste relatie en zeker niet voor kinderen. Maar dit meisje had hem blijkbaar tot andere gedachten gebracht. Dat verbaasde Stefan niet echt. Lauren had een zeer bijzondere uitstraling met haar groene ogen en donkere haar. Hij hoopte maar dat Raoul haar niet zou teleurstellen. Want ze had zo het een en ander voor hem opgegeven, had hij begrepen. Haar land, haar huis en familie, en haar werk. Waarschijnlijk ook een vriendenkring.

Hij draaide zich om en keek omhoog. Er was niemand meer te zien. Waar maakte hij zich eigenlijk zorgen over? Hij woonde zelf ook alleen, had daar zelf voor gekozen. Hij had een tijdje geen behoefte gehad aan mensen om zich heen. Hij vond het een verademing dat Lauren zo onbevangen tegenover hem stond. Zij wist niets van zijn onbeheerste woedeaanvallen. Voor hij zichzelf wilde toegeven dat hij een klas vol pubers niet aankon, had hij eerst een jongen in elkaar geslagen. Zijn vader, die nog van de oude stempel was, had opgemerkt: „Maar dat had dat joch toch zeker verdiend."

„Ik vond van wel. Maar het mag nu eenmaal niet en ik heb mijn ontslag moeten nemen," had Stefan kortaf geantwoord.

Na een gesprek met een psychiater had Stefan

ervoor gekozen een tijdje de eenzaamheid op te zoeken. En dat besluit had hem hier gebracht. Dit huisje hoorde bij een complex waarvan Raoul de eigenaar was en zo had hij hem leren kennen.

Stefan draaide zich om en floot naar de hond, die wat achterbleef. In deze omgeving had hij geen last van driftbuien. Toch vroeg hij zich af of hij ooit nog voor de klas zou staan. Hij wist zelfs niet of hij wel geschikt was om ooit vader te worden. „Onzin," had de psychiater gezegd. „Je kunt dit overwinnen. Om te beginnen moet je elke ergernis er gelijk uitgooien en niet opsparen tot het zo groot is geworden dat er wel een uitbarsting móet volgen." Maar hier waren niet veel redenen om woedend te worden. Behalve dan misschien om het feit dat Raoul deze vrouw op het eind van haar zwangerschap alleen liet. En dat alleen omdat hij weer op zoek was naar een nieuw object om geld te verdienen. Maar hij, Stefan, had er niets mee te maken, dus er was niets waar hij zijn ergernis op kon richten.

Hij raapte een steen op en gooide deze met een nijdig gebaar een eind in zee, waar hij enkele keren opsprong. Remy wilde dezelfde weg volgen, maar Stefan gooide een stuk hout op het strand. Hij glimlachte vanwege de spurt die de hond nam. Remy gaf hem veel plezier en afleiding. Misschien kon hij zich beter bij de dieren houden dan bij het menselijk ras.

Lauren dronk enkele slokjes van haar koffie, maar mikte de rest over de rand van de balustrade. Koffie stond haar tegen, maar ze wilde niet dat Fleur zich ermee bemoeide. Het was inmiddels erg warm geworden. Toen ze er iets van zei, wees Fleur haar op de grijze band bij de horizon. „Er komt onweer," voorspelde het meisje opnieuw.

Lauren zuchtte. Vroeger was ze nooit bang voor onweer, maar nu was het iets anders. Het leek of het hier aan zee veel dichterbij was. Er was ook nog iets anders wat haar zorgen gaf. De pijn in haar rug werd niet minder, maar keerde regelmatig terug. De dokter had haar gezegd dat dergelijke verschijnselen heel goed loos alarm konden zijn. Maar naarmate de dag vorderde, begon Lauren steeds meer te twijfelen of dit nu ook zo was. Ze wilde een en ander voorlopig voor Fleur verbergen en ging daarom vroeg naar haar kamer.

Toen Raoul belde, was ze wel van plan hem in te lichten, maar voorlopig kwam ze niet tussen zijn waterval van woorden. Ze begreep uit zijn relaas dat het project in Spanje waarschijnlijk doorging en dat hij veel geld ging verdienen. En ook dat ze een tijdje in Spanje zouden moeten wonen. Lauren kon voor dit alles weinig interesse opbrengen. „Ik geloof dat het begonnen is," zei ze toen hij eindelijk even zweeg.

„Wát begonnen?"

„De bevalling."

„Welnee, natuurlijk niet. Je hebt nog veertien dagen. Over twee dagen ben ik weer thuis. Je bent veel te gespannen, Lauren. Ik hoor het aan je stem."

Hij had haar stem nauwelijks gehoord, dacht Lauren. En hij nam haar ook niet serieus. Ze besloot er niets meer over te zeggen. Ze ging naar beneden en vertelde Fleur dat ze naar bed ging. Deze verbond daar blijkbaar ook geen conclusies aan. Ze knikte alleen en keerde zich weer naar de televisie.

Lauren sliep vlug in, maar werd wakker van een enorme knal. Het duurde even voor het tot haar doordrong dat het onweer inderdaad was losgebarsten. Ze gleed haar bed uit en keek door het raam. Het rommelde voortdurend en de bliksem schoot aan alle kanten door de lucht. Het strand werd even fel verlicht en direct daarop klonk er weer een harde knal. Op dat moment voelde Lauren de pijn weer, feller en heviger dan tevoren. Het was dus echt begonnen. Ze moest naar het ziekenhuis. Alles stond klaar, ze zou Fleur moeten inschakelen.

Met trage bewegingen kleedde ze zich aan. Er zat nog flink wat tijd tussen de pijnaanvallen, maar het was ruim een halfuur rijden naar het ziekenhuis.

Ze zou eerst moeten bellen dat ze eraan kwam. Na verschillende malen te zijn doorverbonden, kreeg ze de verloskundige en gaf haar gegevens door. „Hoe wilde u komen?" vroeg de vrouw.

„Ik word gebracht met de auto," zei Lauren enigszins verbaasd.

„Dat is prima. Ik dacht dat u misschien een ambulance nodig had. Maar dat kan even duren, want ze zijn juist allemaal uitgereden. Zeg tegen uw man dat hij voorzichtig rijdt. Het is noodweer."

Toen Lauren de hoorn neerlegde, hoorde ze de storm om het huis razen. Ineens verlangde ze hevig naar Raoul. Dat hij nu juist weg moest zijn. Hem opbellen had geen enkele zin. Hij kon er toch niet eerder dan morgen zijn.

Even later klopte ze op Fleurs kamerdeur. Toen er na de tweede keer ook niet werd gereageerd, stapte ze binnen en knipte het licht aan. Fleurs bed was leeg en even sloeg de schrik haar om het hart. Dan bedacht ze dat ze misschien was opgestaan vanwege het slechte weer.

Met haar koffer in de hand ging Lauren naar beneden. Fleur was inderdaad in de kamer en zat ineengedoken in een hoekje van de bank. Ze keek Lauren aan, maar zei niets.

„Je zult mij naar het ziekenhuis moeten brengen," zei Lauren zo kalm mogelijk.

„Met dit weer?" vroeg het meisje.

„Ik kan het niet helpen dat de baby niet op mooi weer heeft gewacht." Ze greep een stoelleuning beet toen zich opnieuw een wee aandiende.

„Kan het geen loos alarm zijn? Bij mijn zusje was dat ook zo. Zij werd gewoon weer teruggestuurd." Er was een smekende klank in Fleurs stem.

„Ik ga geen risico nemen," antwoordde Lauren. „Wil je opschieten?"

Fleur bleef echter zitten. Ze klemde haar armen om zichzelf heen alsof ze bang was dat ze uit elkaar zou vallen. „Ik durf met dit weer niet naar buiten en zeker niet auto te rijden," zei ze zacht, maar zeer stellig.

„Wat?" Lauren schreeuwde nu.

„Het gaat vast wel weer over," zei het meisje alsof ze het over kiespijn had.

„Natuurlijk gaat het níet over. Ik krijg een kind en jij hebt Raoul beloofd dat je mij naar het ziekenhuis zou brengen."

„Zolang je geen dokter haalt, weet je niet of het echt nodig is. Zal ik hem bellen?" bood Fleur bereidwillig aan.

Lauren stond dubbelgebogen over een stoel, maar richtte zich even later weer op. Haar groene ogen flitsten van woede. „Geef me je autosleutels."

## ❊ 5 ❊

Even later stond ze op de stoep. De wind gierde om het huis en de bliksem flitste nog steeds boven zee. Lauren keek naar de kleine rode auto van Fleur die op de oprit stond. Het ding leek af en toe te bewegen in de wind.

Ze keerde zich naar Fleur, zei hard: „Je bent ontslagen. Als ik weer terugkom, wil ik je hier niet meer zien." Ze luisterde niet naar het antwoord van het meisje, maar liep naar de auto. Het portier werd bijna uit haar handen gerukt. Even zat ze doodstil in de auto. Wat ze nu ging doen, was natuurlijk onverantwoord. Maar het was even onverstandig om thuis te blijven en af te wachten. Stefan, dacht ze. Hij had haar zijn telefoonnummer gegeven. Maar het was midden in de nacht. Haar mobiel lag trouwens binnen.

Ze startte de auto en reed achteruit de weg op. Ze kwam langs het kleine bungalowpark waar hij woonde. Het kostte haar moeite het wagentje in bedwang te houden. Ze was hier dicht aan zee, binnen de bebouwde kom zou het wel beter gaan. Als ze daar al ooit aankwam.

De volgende pijnscheut overviel haar toen ze stopte voor Stefans huis. Ze boog zich diep voorover tot het ergste voorbij was. Als Raoul dit wist... Ja, en wat dan nóg! Hij wilde dit kind niet echt. Nee, zo mocht ze niet denken. Raoul had zijn redenen om geen kinderen te willen.

Toen de pijn wat was afgezakt, stapte ze uit en liep op Stefans huis toe. Ze drukte met haar vinger op de bel voor ze verder kon nadenken. Stel dat hij niet thuis was. Hij zou hier toch niet voortdurend in zijn eentje zitten? Hij zou vast weleens uitgaan.

70

Het duurde even. Ze zag lichtschijnsel, dat waarschijnlijk uit zijn slaapkamer kwam. Toen de deur werd geopend, stond ze tegen de muur geleund, opnieuw in de ban van de pijn. „Lieve help, Lauren. Kom gauw binnen." Hij greep haar bij de arm, duwde haar de kamer in en op de bank, bleef voor haar staan. „Is dit wat ik denk dat het is?" vroeg hij.

Ze knikte. „Het is begonnen. Fleur durft in dit weer niet te rijden. Ik heb niemand anders, Stefan. Ik weet niet eens de weg naar het ziekenhuis."

Hij raakte even haar schouder aan. „Geen zorgen, ik breng je."

Het duurde slechts enkele minuten voor hij geheel gekleed weer binnenkwam. „Zo, dan gaan we maar. We pakken mijn auto, die ligt wat stabieler op de weg dan Fleurs wagentje." Hij hielp haar instappen, duwde nog een kussen in haar rug. „Heb je 't ziekenhuis gebeld dat je eraan komt?" vroeg hij nog. Ze knikte alleen.

„Ik vind het zo vervelend dat ik jou midden in de nacht kom storen," zei ze even later.

„Ja, daar moet jij je vooral druk om maken. Ik had je toch gezegd dat ik beschikbaar was in geval van nood."

„Ik heb gebeden dat je thuis was," zuchtte ze. „Ik weet niet wat Fleur ineens bezielde. Ze had Raoul beloofd mij te brengen, als het nodig mocht zijn. Raoul zal wel kwaad op haar zijn."

„Denk je?" vroeg hij neutraal.

Nee, hij zou het waarschijnlijk bagatelliseren, dacht Lauren. Hij kon haar toch moeilijk kwalijk nemen dat ze naar Stefan was gegaan. En mocht hij dat toch doen, dan was het jammer. Ze had nu andere zorgen.

Stefan praatte, waarschijnlijk om haar af te leiden.

Hij had het over het onweer, dat hier erg zwaar kon zijn, maar vaak ook snel weer over was. Hij had het over zijn vader, die alleen woonde na de dood van zijn moeder. Over zijn zuster die twee kinderen had. Lauren wist dat hij haar afleiding wilde bezorgen en ze waardeerde dat, maar veel aandacht had ze niet voor zijn verhalen.

Toen hij stopte op het parkeerterrein van het ziekenhuis, keek hij haar aan. „Het is nogal erg, geloof ik. Zal ik een rolstoel halen?" Lauren stemde toe; ze zag het niet zitten om te gaan lopen.

Eenmaal in het ziekenhuis werd ze snel naar de verloskamer gereden. Stefan liep mee tot de deur en wilde toen weggaan.

„U bent de echtgenoot," veronderstelde de verpleegkundige. Stefan schudde haastig het hoofd. „Nu goed, dat maakt ook niet uit. Maar u bent wel de vader van het kind."

Stefan schudde opnieuw van nee. „Haar eh... haar man was niet thuis en daarom heeft ze mijn hulp ingeroepen. Ik ben de buurman."

„Ah, in dat geval wilt u misschien liever naar huis gaan."

Lauren keek hem aan en hij meende in haar ogen te lezen dat ze wilde dat hij bleef. Dus zocht hij een plaatsje in de wachtkamer. Er zat slechts een oudere man die ongedurig heen en weer schoof en af en toe op een irritante manier zijn keel schraapte.

„Bent u hier ook voor een geboorte?" vroeg de man. Stefan knikte slechts. „Ik ben hier met mijn dochter. Haar man is bij de marine, hij is er niet. Tegenwoordig kunnen jullie toch alles plannen? zei ik. Maar ja, de natuur gaat haar eigen gang. Moet u niet bij uw vrouw zijn?"

„Ze is mijn vrouw niet."

„O. Nou ja, dat komt tegenwoordig ook voor."
Stefan zweeg. Waarom bemoeide iedereen zich met hem? Hij voelde zich hoogst ongemakkelijk, maar wilde ook niet weggaan. Hij pakte een van de verouderde tijdschriften, bladerde wat, zonder te zien wat er stond. Soms liep een verpleegkundige langs, maar niemand keek zijn kant uit. Ze leken allemaal haast te hebben.

Na enkele uren gewacht te hebben, vroeg Stefan zich af of het niet vreselijk lang duurde. Maar hij voelde zich ook niet vrij om iemand iets te vragen. Hij ging een keer de gang op voor koffie uit de automaat, maar voelde zich onrustig. Het leek wel of het inderdaad zíjn kind was, dacht hij. Maar hij wilde Lauren niet alleen laten. Ze had er zo verloren uitgezien.

Toen het licht werd, kwam er steeds meer personeel langs en op een zeker moment klampte hij toch iemand aan. „Het gaat om Lauren van Rijssel. Is haar baby al geboren?"

De verpleger had kennelijk wat moeite met de naam, herhaalde deze enkele keren, beloofde dan te informeren. Toen hij terugkwam, zag hij er enigszins bezorgd uit. „Bent u de vader?" vroeg hij.

Stefan ontkende voor de zoveelste keer. „Haar man is er op dit moment niet. Ik ben een goede vriend," zei hij toen maar.

„U mag wel even bij haar."
Stefan aarzelde. „Hoe is het met haar?"
„Ze is erg moe, het was een zware bevalling. Maar met haar gaat alles naar wens. Het kindje... ze zijn er nog mee bezig."

Stefan volgde de man en maakte zich in stilte kwaad

op Raoul. Had hij dit niet anders kunnen regelen? Het was zoals die man in de wachtkamer had gezegd: tegenwoordig kon je alles plannen. En dat ging toch zeker op voor zakenreisjes.

Hij trof Lauren heel bleek en stilletjes aan. Er was een angstige blik in haar groene ogen. Het donkere haar hing slordig om haar hoofd. „Zo, meisje. Het is allemaal achter de rug." Stefan had graag iets originelers gezegd, maar er wilde hem niets te binnen schieten.

Ze knikte. „Het is een jongetje. Maar er is iets mee. Ik heb hem nog niet eens mogen zien."

Stefan wist niet wat te zeggen. Hij kon natuurlijk zeggen: het valt misschien allemaal wel mee, maar dat sloeg helemaal nergens op.

„Ik ben blij dat jij er bent," zei ze zacht.

„Ik kan maar zo weinig voor je doen. Heb je Raoul al gebeld?"

„Ik wil eerst weten wat er aan de hand is."

Op dat moment kwam er een dokter binnen. Hij lette niet eens op Stefan, wendde zich direct tot Lauren. „Je eerste kind, was daar alles goed mee?"

„Mijn eerste?"

„Je hebt toch eerder een kind gekregen?"

„Het was een meisje en met haar was alles in orde," zei Lauren.

„Tja, het spijt me, maar dit kindje is niet helemaal in orde. Er moet een drain in het hoofdje om het vocht af te voeren. En het hartje mankeert ook iets."

„Gaat hij dood?" vroeg Lauren rechtstreeks. Stefan wist niet anders te doen dan haar hand te grijpen die als een hulpeloze vogel op het dek lag.

„Het lijkt me niet dat dit kind een lang leven beschoren is. Het spijt me."

„Moet u dat zo bot zeggen?" viel Stefan uit.

„Ik kan het mooi verpakken, maar het antwoord blijft hetzelfde. Jullie zoon ligt in de couveuse. Straks kunnen jullie gaan kijken." De man verdween en Stefan keek naar Lauren die er ontredderd uitzag.

„Arme meid," zei hij zacht.

Toonloos zei ze: „Raoul heeft me gewaarschuwd. Hij zei dat er afwijkingen in zijn familie voorkomen. Ik heb een echo laten maken. Daar waren geen afwijkingen op te zien."

„Ze kunnen waarschijnlijk nooit honderd procent zekerheid geven," veronderstelde Stefan. „Maar je moet nu echt Raoul bellen, dan kunnen jullie er samen over praten." Stefan begon zich steeds ongemakkelijker te voelen. Hij hoorde hier niet, hij wilde naar huis.

„Moet ik Raoul bellen om hem te zeggen dat hij een gehandicapte zoon heeft?" vroeg ze, hem aankijkend.

„Hij lijkt me de eerste persoon die op de hoogte gebracht moet worden," antwoordde Stefan.

„Hoe zou je het vinden als jij… als jouw vrouw…"

„Ik heb geen vrouw, ik kan me daar niet in verplaatsen. Maar het gaat allereerst om jou. Je hebt Raoul nu nodig. Zal ik hem bellen?"

Ze schudde het hoofd. „Jij hebt al genoeg voor me gedaan. Ik begrijp dat je naar huis wilt."

Hij raakte even haar hand aan. „Sterkte."

Eenmaal in de auto, bleef hij een poosje voor zich uit staren. Lauren ging geen gemakkelijke tijd tegemoet. Dat gold natuurlijk ook voor Raoul. Nuchter bezien zou je moeten zeggen: het is beter dat het kindje niet te lang leeft. Maar zo dachten ouders er niet over. Ze hadden alles klaar voor de baby, ze hadden naar dit moment toegeleefd, en nu dit.

„Was je vorige kind gezond?" had de dokter gevraagd. Lauren had daar bevestigend op geantwoord. Ze had dus al een kind. Waar was die baby gebleven? Misschien bij de vader? Ineens werd er tegen zijn raam getikt. Hij keek in het bezorgde gezicht van een verpleger. „Gaat het wel goed, meneer?"

Hij knikte en startte een beetje geïrriteerd de auto. Wat hield hij zich toch met die twee bezig? Hij had niets met hen te maken. Maar hij was bij hen betrokken geraakt, zonder dat hij het wilde. Hij vroeg zich af hoe Raoul zou reageren als hij hoorde dat Stefan zijn vrouw naar het ziekenhuis had gebracht en als eerste bij haar was geweest. Waarschijnlijk zou hij woedend zijn en zeker niet dankbaar. Maar had hij anders gekund? Had hij Lauren soms alleen moeten laten vertrekken?

Hij merkte dat hij zich alweer kwaad zat te maken, en ontspande zich enigszins. Het werd tijd dat hij zijn aandacht op iets anders richtte. En dat zou nu gemakkelijker gaan. Hij verwachtte niet dat Lauren nog zo vaak langs de vloedlijn zou wandelen. Als haar zoon bleef leven, zou ze haar handen meer dan vol hebben. Hij verwachtte niet dat Raoul haar echt tot steun zou zijn. Voorzover hij hem kende, wilde die een luxeleventje met niet te veel kopzorgen. En dat kon nu wel eens onmogelijk worden.

Lauren had het nummer gedraaid dat Raoul haar had opgegeven en wachtte tot ze werd doorverbonden. Raoul zat in een vergadering, maar ze had gezegd dat het dringend was.

„Ja," klonk het tamelijk kortaf.

„Raoul, met mij." Hij moest wel aan haar stem horen dat er iets helemaal mis was.

„Lauren, ik hoop dat het belangrijk is. Je weet dat ik er niet van hou…"

„Je hebt een zoon," fluisterde ze.

Het bleef even stil. „Zeg dat nog eens," klonk het dan. En direct erachteraan: „Lieve help, Lauren, hoe heb je dat voor elkaar gekregen?"

„Ik heb gemerkt dat je daar zelf weinig aan af en toe kunt doen," zei ze nuchter, om te vervolgen: „Ik heb hem nog niet gezien, Raoul. Er is iets niet goed."

Weer bleef het eerst even stil. „Je wilt toch niet zeggen dat het kind een afwijking heeft?"

„Ik weet niet hoe ernstig…" Plotseling huilde ze. „O Raoul, kom alsjeblieft naar huis."

„Ja, ja, natuurlijk kom ik naar huis. Dat zal wel moeten, niet. Ik neem aan dat je in het ziekenhuis bent. Dan kom ik daarheen." Hij legde zonder nog iets te zeggen de hoorn neer en Lauren barstte in tranen uit, de hoorn nog in haar hand. Ze zag ertegen op dat hij kwam, maar aan de andere kant verlangde ze heel erg naar hem. Het was ook zíjn kind en ze moesten dit toch samen verwerken. Ze waren hoe dan ook verantwoordelijk. En ze zou zich nooit meer aan een dergelijke verantwoordelijkheid onttrekken, wat Raoul er ook van vond.

Later werd de couveuse naast haar bed gereden. Lauren keek naar het tengere lijfje. Het leek of de baby helemaal beplakt was met pleisters en draden. Ze zag ook dat het hoofdje abnormaal groot was. Dit is mijn zoon, dacht ze. Maar ze voelde niets, alleen een vaag medelijden.

Ze keek naar de zuster, maar deze wist blijkbaar ook niets te zeggen. „Het is heel erg, hè?" fluisterde Lauren.

„Alle resultaten van het onderzoek zijn nog niet binnen. Hij ademt zelf en dat is in elk geval positief. Wanneer verwacht je je man?"

„In de loop van de dag."

„De man die je hier heeft gebracht, was dat je broer?"

Lauren schudde het hoofd. „Hij is een goede vriend."

De zuster zei niets meer, maar Lauren zag aan haar gezicht dat ze 't maar een vreemde toestand vond.

Enkele uren later belde Raoul dat hij pas aan het einde van de middag een plaats in een vliegtuig kon regelen. „Nog de hele dag," zuchtte Lauren. Ze besloot haar moeder te bellen.

„Met Agnes van Rijssel."

„Mam, met mij."

„Kind, Lauren, ik heb al geprobeerd je te bellen. Ik kreeg steeds die hulp van je. Van haar begreep ik dat je in het ziekenhuis bent. Gaat het wel goed?"

„Nee mam. Ik… we hebben een zoon. Maar hij is niet goed. O mam."

„Wat bedoel je met niet goed?" vroeg Agnes aarzelend.

„Gehandicapt."

„Kind toch. Ik kom naar je toe. Als Raoul het goedvindt, tenminste."

„Ik wil het graag, mam." Lauren was niet van plan de goedkeuring van Raoul af te wachten.

„Dan regel ik een en ander zo snel mogelijk." Agnes legde de hoorn neer, en staarde voor zich uit zonder iets te zien. Een gehandicapt kind. O, haar arme meisje. En Lauren had een pracht van een dochter te vondeling gelegd. Er zouden mensen zijn die zouden beweren dat dit haar straf was. Maar zo dacht zij niet en Lauren gelukkig ook niet. Wat kon ze doen om haar dochter te troosten? Wás er wel iets wat in zo'n geval enige troost kon bieden?

Ineens nam Agnes een besluit. Ze zou met de auto naar Frankrijk rijden. Maar eerst ging ze ergens anders heen.

## ✻ 6 ✻

Het was een zonnige dag en Teresa was met de twee kinderen op de camping. Het was het laatste weekend van april en erg druk. Martijn was nu zes jaar en vermaakte zich prima in zijn eentje. Haar dochter was nu bijna twee en haar durfde ze geen moment uit het oog te verliezen. Campinggasten raakten altijd vertederd door het aantrekkelijke kind dat al zo goed praten kon. „Die zal nog wat mannenharten breken," werd er gezegd.

„Dat duurt nog lang," was steevast Teresa's antwoord. Ze wilde niet zover vooruitkijken. Roseline was nu nog helemaal van haar en ze wilde er niet aan denken dat dit ooit zou veranderen, dat ze haar dochter zou moeten loslaten. Het was ook de reden dat ze haar niet naar een peuterspeelzaal wilde brengen. Men beweerde dat het goed was voor een kind om met leeftijdgenootjes te spelen, maar de meeste tijd waren er wel een paar kinderen op de camping. En zijzelf was ook altijd thuis. Maar zij was geen volwaardig speelgenootje voor een kind van twee, beweerde Thijs. „Wie is nu meer geschikt om met de kleine meid op te trekken dan ik, de moeder?" was steevast haar antwoord. Thijs kon haar daarbij zo eigenaardig aankijken.

Sinds Rosy bij hen was, was hun huwelijk bepaald niet verbeterd. Thijs had er veel problemen mee gehad om dit kind in hun gezin op te nemen. Hij hield wel van het meisje, maar hij ging met Martijn heel anders om.

Teresa wist dat zijzelf zich zeer afstandelijk tegenover haar echtgenoot opstelde. Hoe graag ze indertijd ook een kind van haarzelf had gewild, die behoefte had ze nu niet meer. Sterker, ze moest er niet aan denken dat ze haar aandacht zou moeten verdelen tussen Rosy en een nieuwe baby. Martijn was alweer zo groot, hij trok trouwens toch altijd naar zijn vader toe. Het viel sommige mensen wel op dat Teresa overdreven veel aandacht aan haar dochter besteedde. „Het lijkt wel of ze verliefd is op haar eigen kind," had iemand eens gezegd. Het antwoord was geweest: „Het kind zal op die manier onuitstaanbaar worden."

Martijn was altijd wat gereserveerd tegenover het meisje. Als Rosy weer eens met geschreeuw haar zin probeerde te krijgen, riep hij: „Je bent niet eens van ons. Je bent gevonden." Hiervoor had hij een keer een klap van zijn moeder gekregen. Hij was meer geschrokken van de woede in haar ogen dan van de mep tegen zijn hoofd.

Teresa had er ook moeite mee als anderen haar dochter aanhaalden of optilden.

Op een middag kwam ze terug van de camping toen ze een vrouw haar erf zag opkomen. Onmiddellijk kreeg Teresa een onrustig gevoel. Wie was zij? Ze kwam niet van hier. Waarom keek ze zo speurend rond? Ze liep haar tegemoet, beval intussen Roseline bij het huis te blijven, wat deze natuurlijk niet deed.

„Wat wilt u?" vroeg ze niet al te vriendelijk.

De vrouw trok de wenkbrauwen op en Teresa bedacht dat ze zich niet te vijandig moest gedragen. „Ik wilde eens op de camping rondkijken," zei de ander.

Teresa keek in de groene ogen en haar adem stokte. Ze had die ogen meer gezien. „Dan moet u dat zijpad nemen," zei ze kortaf.

Agnes liet zich echter niet wegsturen. Evenals bij de

81

vrouw tegenover haar bonsde haar hart. „Ik neem aan dat u de beheerder van de camping bent, u of uw man."

„Wij beiden," was het antwoord. „Mijn man kunt u op de camping vinden. Het lijkt me dus logisch als u daarheen gaat."

„Is dit uw dochter?" vroeg Agnes plotseling.

„Ja. En?" Het klonk tamelijk agressief.

„Het is een mooi kind. Hoe heet ze?"

„Ik ben Roseline," zei het meisje plotseling. Hoewel Agnes dit al had geweten, schoten haar toch de tranen in de ogen. Ze zakte op een knie en keek het kind aandachtig aan. „Wat ben jij een mooi meisje," zei ze ernstig. Daarna stond ze weer op en zei tegen Teresa: „Weet u zeker dat zij een dochter van u is? Ze lijkt helemaal niet op u." Ze zag de ander verbleken en had gelijk spijt van haar woorden, schudde het hoofd. „Maakt u zich niet ongerust. Ik wil helemaal níets van u. Maar u moet het meisje wel inlichten als ze groot genoeg is." Waarop Agnes zich omdraaide en wegliep. Ze wilde niet dat de ander haar tranen zag.

Ze was er zeker van: dit was haar kleindochter, het kind van Lauren. Ze was op onderzoek uitgegaan met de summiere informatie die ze had. Lauren had haar moeder indertijd geschreven over wat er gebeurd was, omdat ze wilde dat iemand, behalve zijzelf, wist waar haar dochter terecht was gekomen. Ze had Lauren beloofd nooit gebruik van die informatie te zullen maken. Maar nu was alles anders geworden. Het was mogelijk dat Lauren nooit meer een gezond kind kon krijgen. En hier was dat prachtige meisje. Hoe had ze 't kunnen doen?

Agnes moest toegeven dat het er op het eerste gezicht uitzag of het kind goed werd verzorgd, hoewel de moeder haar wat neurotisch leek. Maar ze had haar natuurlijk overvallen. Toch was ze ervan overtuigd dat Lauren indertijd te overhaast te werk was gegaan. Door haar verliefdheid op Raoul had ze niet de goede beslissing genomen.

Teresa stond nog steeds op dezelfde plaats toen Agnes al niet meer te zien was. Wat wilde deze vrouw en vooral, wie was zij? Ze scheen te weten dat Rosy niet haar dochter was. Er waren natuurlijk mensen uit deze omgeving die hiervan op de hoogte waren. Het meest verontrustende was nog dat deze vrouw dezelfde groene ogen had als Rosy. Dat kon natuurlijk, maar de kans was groter dat deze vrouw familie was. Misschien zelfs de moeder. Het zou best kunnen, de vrouw schatte ze op begin veertig, maar veel vrouwen kregen tegenwoordig laat kinderen. Het zou een reden geweest kunnen zijn om het kind af te staan. „Je moet haar later inlichten," had de vrouw gezegd. Ze bedoelde dat ze Rosy moest vertellen dat zij en Thijs niet haar ouders waren. En dat was ze nu juist absoluut niet van plan.

Ze pakte het kleine meisje bij de hand en nam haar mee naar binnen. „Ik laat je mij niet afnemen," mompelde ze. „Wat denkt ze wel, eerst haar kind hier dumpen, en dan, als ze de tijd rijp acht, het meisje weer komen halen." Maar ze had niet gezegd dat ze het kind terugwilde, bedacht Teresa. Toch was ze er niet gerust op en die avond vertelde ze het hele verhaal aan Thijs.

„Waarom vroeg je niet wie ze was? Dan hadden wij misschien eindelijk kunnen achterhalen waar Rosy vandaan komt."

„Dat wil ik helemaal niet weten," zei ze koel.

Thijs keek haar aan. Hij had er indertijd in toegestemd de baby in hun gezin op te nemen, vooral met de gedachte dat Teresa dan eindelijk rust zou hebben, maar het tegendeel was waar gebleken. Teresa claimde het kind op een abnormale manier. En nu was dat nog niet zo'n ramp, maar als het meisje op een leeftijd kwam dat ze niet meer onder controle gehouden wilde worden, voorzag hij vele problemen.

Thijs had gehoopt dat ze zelf nog een kind zouden krijgen. Dat kwam immers vaker voor als er een baby was geadopteerd, al was dit laatste tot nu toe niet mogelijk gebleken. Roseline had nog steeds de status van pleegkind. Teresa wilde zelf geen kind meer. Ze was bang dat Rosy dan aandacht te kort zou komen. Hoewel Thijs van het kleine vondelingetje hield, was zijn leven er sinds haar komst niet gelukkiger op geworden. Hij wist echter dat dit laatste meer aan zijn vrouw lag dan aan het kind.

Gelukkig liep de camping goed. Dat bracht hier wat levendigheid, ook voor Martijn. Want zijn vrouw wilde alleen maar thuis zijn.

Na al deze gedachten zei Thijs: „Realiseer jij je dat, als de moeder werkelijk zou komen opdagen, wij geen enkel recht hebben?"

Ze staarde hem ongelovig aan. „Bedoel je dat zij, die haar pasgeboren kind onder onze heg achterliet en er jaren niet naar omkeek, meer rechten zou hebben dan wij?"

„Als zij kan bewijzen dat zij de moeder is, heeft zij de wet aan haar kant," zei Thijs rustig.

„Lieve help, ik zal nooit meer een moment rust hebben," fluisterde Teresa.

Haar man voelde een vaag medelijden. „Je had beter kunnen vragen wie de vrouw was," zei hij nog eens.

„Ik zal Rosy zo veel mogelijk moeten verbergen," antwoordde Teresa zonder op zijn woorden in te gaan.

„Praat geen onzin, Teresa. Er is geen sprake van dat iemand Rosy zomaar bij ons weghaalt. Probeer eens wat meer ontspannen te leven."

„Jij hebt nooit om het kind gegeven," zei ze fel.

Thijs zuchtte. Hij had dit verwijt al vaker te horen gekregen. Het was niet waar, maar hij had wel altijd een verschil gevoeld tussen Rosy en Martijn. Hij zou het echter heel erg vinden als Rosy om de een of andere reden bij hen weg moest. En dat wist zijn vrouw, althans, dat díende ze te weten.

„Als ze haar van me afnemen, kan ik niet langer leven," zei ze nu heftig.

Thijs stond op. Hij kon heel moeilijk omgaan met dit in zijn ogen hysterische gedrag. Langzaam zei hij: „Je zei indertijd dat je de baby beschouwde als een Godsgeschenk. Het kan Zijn bedoeling niet zijn dat jij een afgod van Zijn geschenk maakt." Waarop hij de kamer uitging.

Teresa staarde naar de dichte deur. Ze merkte dat ze haar handen tot vuisten had gebald en ontspande zich langzaam. Het was waar, de vrouw had op geen enkele manier aanspraak op het kind doen gelden. Ze had zelfs gezegd: ík wil helemaal níets. Ze moest daarop vertrouwen, anders had ze geen leven meer. Maar Teresa wist dat het met haar betrekkelijke rust gedaan was. Ze zou iedere vreemde die het erf opkwam voortaan met wantrouwen bekijken. En ze zou Rosy nooit meer uit het oog durven verliezen.

Lauren zat naast haar bed toen Raoul de volgende dag binnenkwam. Hij kuste haar en ze klemde zich even aan hem vast. Raoul trok een stoel bij en keek om zich heen. „Waar is hij?"

„Hij is nog in de couveuse. Hij mag nog niet mee naar huis."

Hij knikte. „Misschien maar beter."

„Hoe kun je dat zeggen? Ik wil voor hem zorgen."

„Lauren, je weet niet wat je zegt. Wil jij je verdere leven voor een gehandicapt kind opofferen?"

„Je hebt hem nog niet eens gezien." Ze hoorde zelf dat ze geëmotioneerd klonk.

Een zuster keek om het hoekje van de deur. „Zal ik jullie even naar de baby brengen? Hoe is zijn naam?"

„We hebben nog niets besloten," zei Lauren zacht. De zuster knikte en liep voor hen uit. Lauren hield Raoul bij de arm vast, maar toch had ze 't gevoel dat er een grote afstand tussen hen was.

Eenmaal in de zaal met de couveuses bracht de verpleegkundige hen naar het glazen kistje waarin hun zoon lag.

Raoul wierp een blik op het kind en wendde zich gelijk weer af.

„Hij is zo hulpeloos," zei Lauren zacht.

„En zo te zien zal hij dat blijven."

„Ze kunnen tegenwoordig veel," zei de zuster diplomatiek. Raoul zei niets, maar begon het vertrek uit te lopen.

„Hij is van streek," zei Lauren.

De vrouw knikte. „Begrijpelijk." Maar hij zou eens naar zijn vrouw kunnen omzien, dacht ze erachteraan. Waarom zou een man meer recht hebben om van streek te zijn dan een vrouw? Het was natuurlijk een ramp als je iets dergelijks overkwam. En deze man zag eruit of hij nooit tegenslag had gehad. In zo'n succesvol leven paste geen kind met een handicap.

Maar zoiets overkwam je en het was maar goed dat de zaken wat dat aanging een beetje gelijk waren verdeeld in de wereld. Zowel rijken als armen kregen met ernstige ziekten of met de vroegtijdige dood van een kind te maken. Toen ze in de gang Raoul zag, op weg naar de uitgang, haalde ze hem in.

„U kunt gerust nog een tijdje bij uw vrouw blijven," zei ze vriendelijk.

„Ik heb begrepen dat ze morgen naar huis mag. Ik moet daar een en ander in orde maken. Daarbij is haar moeder onderweg. Het kind blijft nog hier, is mij verteld."

„Uw zoon zal zeker nog een week moeten blijven," zei de zuster met de nadruk op de eerste woorden. „Dan is uw vrouw ook wat sterker en zal ze 't beter aankunnen."

„Kun je zoiets óóit aan?" mompelde Raoul.

„Het is soms een wonder wat mensen aankunnen."

Raoul zei niets meer. Hij had geen zin op de woorden van de zuster in te gaan. Dooddoeners waren het. Clichés. Niemand schoot er iets mee op. Hij hoopte van harte dat Lauren zou inzien dat er een oplossing moest komen. Hetzij een verzorgster in huis nemen, hetzij de baby uit huis plaatsen. Hij zuchtte. Hij was juist enigszins gaan wennen aan het denkbeeld een zoon te hebben. En dan kreeg je zoiets. Waar had hij het aan verdiend? In elk geval, nu ging hij naar huis.

Hij vond het niet prettig dat Agnes kwam, maar hij begreep aan de andere kant dat Lauren graag met haar moeder wilde praten. Hij hoopte dat Agnes haar dochter tot rede zou brengen, in die zin dat Lauren ook zou inzien dat ze niet alleen de zorg voor het kind op zich kon nemen. Met Fleur moest hij trouwens ook een hartig woordje spreken. Ze had zonder meer geweigerd Lauren naar het ziekenhuis te brengen, met het gevolg dat deze onnodig risico liep.

Vervelend dat ze bij Stefan terecht was gekomen. Hij wist echter ook dat er niemand anders was die ze enigszins kende. Hij had echter begrepen dat Stefan was blijven wachten tot het kind was geboren. Dat was in Raouls ogen wel een beetje te veel van het goede. Het was natuurlijk bijzonder gemakkelijk begrip te tonen en mee te leven als je daarna weer terug kon naar je eigen huis en naar de vrijheid.

Raoul had het gevoel dat zijn leven een kant opging die hij absoluut niet wilde. Hij had datzelfde gevoel eerder gehad, toen Lauren hem de eerste keer vertelde dat ze zwanger was. Destijds had hij gemeend dat hij de zaak goed had aangepakt, maar nu dacht hij: we hadden beter dat kind kunnen houden. In zijn hart wist Raoul dat hij zeer egocentrisch dacht. Maar hoe kon hij ooit liefde voelen voor een kind met een handicap? Hoe kon hij er trots op zijn?

Hij was intussen in zijn wagen gestapt en reed nu naar huis. Een kleine auto stond voor zijn huis geparkeerd. Zijn schoonmoeder opende de deur al voor hij was uitgestapt. „O, Raoul, ik ben zo benieuwd hoe het is met Lauren en haar kindje. Die hulp van je spreekt alleen maar Frans."

„Dat is niet zo vreemd, ze is een Française. Goedemiddag Agnes." Ze knikte hem koeltjes toe.

Hij onderdrukte zijn ergernis en liep naar binnen. Daar beval hij Fleur voor koffie te zorgen en ging met Agnes in de serre zitten. Het was buiten te fris. Grijze wolken joegen langs de hemel. Af en toe speelde er een streep zonlicht tussendoor, waardoor de zee even schitterde. „Prachtig uitzicht, niet?" zei hij tot Agnes.

Ze ging er niet op in, maar bleef hem vragend aankijken.

„Je vroeg naar Lauren. Ik kom er net vandaan. Met haar gaat het goed. Lichamelijk dan. Maar zo'n kind is natuurlijk emotioneel een zware klap."

„Is het erg met hem?" vroeg Agnes zacht.

„Ik vrees van wel."

„Hij blijft toch wel leven?"

„Je weet niet wat je zegt."

„Is het zo erg?" vroeg ze geschrokken.

„Ja, zó erg is het mijns inziens. Maar naar wat ik begrepen heb, kan hij ook wel tien jaar worden. Dat wens je toch niemand toe, dus ook het kind zelf niet."

„Als dit op je weg komt, zul je het toch moeten accepteren. Jullie hebben een aantal jaren in grote luxe geleefd. Misschien kunnen jullie nu enige tijd een veilig bestaan bieden aan jullie zoon. Kan ik naar Lauren toe gaan?"

„Ze komt morgen thuis. Ik was niet van plan opnieuw te gaan, ik kom er net vandaan."

„Dat zei je al. Ik kan de weg alleen wel vinden," zei Agnes koel.

„Goed, ik zal je uitleggen hoe je het beste kunt rijden. Ik had Fleur juist opdracht gegeven om voor koffie te zorgen." Het klonk een tikje gepikeerd, maar Agnes deed of ze 't niet hoorde.

Even later startte ze haar auto. Ze was in feite doodmoe van de lange reis, maar ze wilde naar haar dochter. Ze had niet de indruk dat Raoul haar echt tot steun was. Moest Lauren hetzelfde meemaken als zijzelf? Uiteindelijk alleen een kind opvoeden? Raoul was vreselijk bang dat hij zijn leventje van luxe en uitgaan moest opgeven, dat was wel duidelijk. Hij praatte zo afstandelijk over het kind. Ach, zij, Agnes, had hem nooit gemogen, maar ze besefte ook wel dat het nu niet de tijd was om daarmee aan te komen.

Agnes vond het ziekenhuis vrij gemakkelijk. Eenmaal binnen was het even zoeken, vooral omdat ze de taal niet sprak. Maar uiteindelijk opende ze toch de deur naar haar dochters kamer. Lauren lag met haar rug naar de deur, het glazen wiegje stond naast haar bed. Misschien viel het allemaal mee, dacht Agnes even.

Zachtjes liep ze naderbij en Lauren draaide zich om. „O, mam."

Agnes hield haar dochter vast, terwijl ze haar tranen niet kon bedwingen. „Het is nu achter de rug, liefje. Nu moet er bekeken worden wat eraan gedaan kan worden. Er is tegenwoordig zoveel mogelijk," zei ze.

„Ze hebben al gezegd dat hij zich niet normaal zal ontwikkelen. Hij heeft ook een hartafwijking. O mam, dat arme jongetje. Toch hou ik van hem."

„Natuurlijk. Het is je kind," zei Agnes kalm. „Het zou vreemd zijn als het niet zo was."

Ze boog zich over het wiegje. Het hoofdje was naar verhouding duidelijk te groot en vreemd gevormd. Even dacht ze aan Rosy, dat prachtige meisje van twee jaar. O Lauren, wat heb je gedaan, ging het door haar heen. Je hebt een mooie, gezonde dochter. Maar ze hield het voor zich. Ze was er zeker van dat Lauren daar zelf ook wel aan zou denken. „Ik hoorde van Raoul dat je morgen naar huis mag."

Lauren knikte. „Hij was helemaal van slag. Eigenlijk wilde hij geen kind."

„O Lauren, hoe kon je? Je wist het toch van de vorige keer." Nu had ze het toch gezegd.

Haar dochter keek haar aan. „Het is ons overkomen,

mam. En ik wilde het níet als de eerste keer. Voor dít kind ga ik zorgen."

Agnes knikte. „Natuurlijk, wie zou het anders moeten doen?"

„Ik weet niet wat Raoul hiervan zal vinden."

„Het is ook zíjn kind en daarmee ook zijn verantwoordelijkheid," zei Agnes kortaf.

Toen de zuster binnenkwam en tegen Lauren begon te praten, hield Agnes zich wat afzijdig. Ze verstond er nauwelijks een woord van.

„De zuster zegt dat ik nu al naar huis kan gaan," zei Lauren even later.

„Dan doen we dat toch. Waarom zou je een dag langer hier blijven dan nodig is?"

„Maar hij… mijn kindje moet nog hier blijven."

„Je kunt hem morgen weer opzoeken. Kom, ik help je met aankleden."

Toen Lauren klaar was, stonden ze beiden even over het wiegje gebogen. „Hij is zo hulpeloos," zei Lauren zacht.

„Hij zal je heel hard nodig hebben," beaamde Agnes met een bezwaard hart. Eenmaal in de auto op weg naar huis, zei ze: „Het zou wel handig zijn als jullie zoon een naam had. Nu heb je steeds het gevoel of hij er niet echt is."

Lauren beet op haar lip. Misschien was dat ook wel een ontkenning van het bestaan van hun kindje. „Ik moet het er nog met Raoul over hebben," zei ze.

Agnes wierp een zijdelingse blik op haar dochter. Diep in haar hart vreesde ze dat het Raoul niet echt interesseerde hoe zijn zoon heette. Maar het had weinig zin daar een opmerking over te maken. Lauren zou het nog moeilijk genoeg krijgen.

Toen Agnes de auto geparkeerd had, stapte Lauren

uit en keek om zich heen. Het leek of ze weken was weggeweest. Ze was in noodweer vertrokken, maar nu was de zee weer glad. Kleine golfjes kabbelden op het strand. Ze volgde haar moeder die naar het huis liep.

De deur werd geopend door Raoul die oprecht blij leek haar te zien. Hij omhelsde haar. „Je bent er al. En het kind, is hij…"

Lauren keek hem aan. Het kon toch niet waar zijn dat hij hoopte dat zijn zoon was overleden? Hoe kwam ze op die vreselijke gedachte? Het was door de schok van alles wat er gebeurd was, vertelde ze zichzelf.

Raoul hield zijn arm om haar schouders en nam haar zo mee naar binnen. Agnes volgde. Raoul was echt bezorgd. „Wil je op de bank? Hier is een kussen in je rug. Of wil je liever liggen?"

Lauren deed wat hij zei. Ze was doodmoe van alle emoties. „We moeten onze zoon een naam geven," zei ze toen.

„Nou, jij zegt het maar. Ik denk niet dat het veel zin heeft. Hij zal niet lang leven, zei de dokter."

„Als hij tien jaar wordt, leeft hij ook maar kort. Moet hij al die tijd naamloos door het leven?" bemoeide Agnes zich ermee. „Jullie hadden toch wel een naam in gedachten?"

Raoul keek haar geërgerd aan. „Natuurlijk hadden we dat. Hij zou Hubèrt heten, op zijn Frans uitgesproken. Maar als je nou weet dat de betekenis van die naam stralende geest is, dan vind ik dat niet erg toepasselijk."

„Wat had je dan gedacht?" vroeg Lauren, die met moeite haar tranen bedwong.

„Noem hem Boy wat mij betreft."

Op dat moment kwam Fleur het vertrek binnen met de vraag wat ze wilden eten. Lauren keek haar aan en zei koel: „Ik begrijp niet wat je hier nog doet. Ik had je ontslagen."

Raoul maakte een gebaar naar Fleur, waarop deze verdween. „Ik heb haar aangenomen en ik zal haar ook ontslaan als daar reden toe is," zei hij.

„Ze weigerde mij naar het ziekenhuis te brengen. Dat noem jij geen reden? Als Stefan er niet geweest was..."

„Ik begrijp dat je veel aan Stefan hebt gehad," klonk het ironisch. „Ik heb Fleur ter verantwoording geroepen, maar zij is als de dood voor onweer, ze durfde écht niet. Trouwens, als het kind naar huis komt, hebben we haar nodig. Jij kunt niet de hele dag voor hem zorgen."

„Waarom niet? Ik ben zijn moeder."

„Het zal veel te zwaar voor je zijn."

„Kunnen we niet eerst afwachten hoe alles gaat?" liet Agnes zich horen. „Ik kan wel een tijdje blijven, als jullie dat willen."

Raoul wierp een blik op haar waaruit ze afleidde dat hij dat niet echt wilde, maar tevens inzag dat hij geen keus had.

„Ik wil morgen weer naar het ziekenhuis om hem op te zoeken," kondigde Lauren nu aan.

Raoul reageerde niet. Het leek hem verstandig niet te veel tegen Lauren in te gaan. Hij had bij zichzelf nog geen enkel gevoel voor het kind kunnen ontdekken. Alleen irritatie dat dit hém was overkomen. Hij zocht in feite wanhopig naar een uitweg, maar wist dat hij zonder Laurens medewerking geen kant uit kon.

## ❊ 7 ❊

Terwijl Fleur de tafel dekte werd er niet veel gezegd. Lauren had het gevoel dat Fleur af en toe met iets triomfantelijks in haar blik naar haar keek. Ze vertelde zichzelf dat ze overgevoelig was. Aan de andere kant moest het het meisje inmiddels duidelijk zijn geworden dat zij, Lauren, niets over haar te zeggen had. Lauren was echter te moe om zich daar druk over te maken. Het zou snel genoeg blijken dat Fleur niet geschikt was om voor een baby te zorgen.

Even later aten ze zwijgend. Lauren wilde dolgraag over haar zoon praten en over alles wat er gebeurd was, maar ze was bang dat ze zou gaan huilen. En omdat ze haar dochter niet van streek wilde maken, zweeg Agnes eveneens. Raoul wilde er helemáál niet over praten, maar hij was bang dat een ander onderwerp niet in goede aarde zou vallen. Zodoende verliep de maaltijd in een beklemmende sfeer en vooral Agnes voelde zich ongemakkelijk.

Na het eten wilde Lauren naar bed, dus bleef Agnes met Raoul in de kamer achter. Ze wist wel zeker dat hij niet zou blijven zwijgen en ze kreeg gelijk. „Wat moeten we nu verder?" vroeg hij zich hardop af.

„Hoe bedoel je?" reageerde Agnes voorzichtig.

„Als het kind blijft leven, bedoel ik."

„Voorlopig mag je daarvan uitgaan," zei Agnes rustig.

„Nou, ik had het mij wel anders voorgesteld."

„Dat begrijp ik. Maar het ís niet anders."

„Heb je niets zinnigers te melden?"

„Weinig. Het is een klap voor jullie. Gelukkig is er geld genoeg en kun je eventueel de nodige hulpmiddelen aanschaffen."

„Hulpmiddelen?" herhaalde hij.

„Nou, later bijvoorbeeld een rolstoel." Agnes wist zo gauw geen ander voorbeeld.

„Denk je werkelijk dat hij zo lang leeft dat hij een rolstoel nodig heeft?" Raoul keek haar ontzet aan.

Boos zei Agnes: „Je gedraagt je als een verwend kind. Het is jóuw zoon. Hij is niet volmaakt, maar hij is wel aan je toevertrouwd."

„Ga je vroom doen? Denk je dat God hier iets mee te maken heeft?"

„Nee. Maar ik denk wel dat er van ons wordt verwacht dat we voor dergelijke kinderen zorgen."

„Agnes, luister nou eens," probeerde hij redelijk. „Er zijn toch tehuizen voor. Daar worden ze veel beter verzorgd dan thuis."

„Daarvoor kom je pas in aanmerking als het thuis echt niet gaat. Jullie hebben het nog niet eens geprobeerd."

Raoul zat met het hoofd in de handen. „Het is niet eerlijk. Lauren wist dat er in mijn familie kinderen met afwijkingen voorkomen. Ik raadde haar een abortus aan toen de echo geen uitsluitsel gaf. Maar ze weigerde."

„Na wat er eerder gebeurd is, kan ik dat begrijpen. Ergens anders heb je een pracht van een dochter, Raoul."

Hij hief zijn hoofd op en keek haar aan. „Hoe weet jij dat?"

„Ik heb haar gezien. Zij is een mooi meisje."

„Dan moeten we haar terug hebben. Dan zal Lauren het vast goedvinden dat dit kind ergens anders wordt ondergebracht."

Agnes schrok hevig, had al spijt dat ze het gezegd had. „Dat kind heeft nu andere ouders die van haar

houden, Raoul. Je kunt niet zomaar…"
„O nee? Het is wel óns kind."
„Hoe wilde je dat bewijzen?"
„Door middel van een DNA-onderzoek natuurlijk."
Agnes stond op en liep naar het raam. Onbewust strengelde ze haar vingers ineen en drukte haar voorhoofd tegen het raam. Het leek of ze bad en eigenlijk wilde ze dat ook wel. Maar wat zou ze móeten bidden? God, leer deze man niet alleen aan zichzelf te denken? „Wacht nu maar eens af hoe alles loopt," zei ze eindelijk.

Raoul antwoordde niet. Hij dacht aan de baby die hij indertijd niet had gewild. Maar mogelijk zou het meisje nu zijn redding blijken te zijn.

Lauren ging iedere dag naar het ziekenhuis en bleef dan enkele uren. Soms ging Agnes mee en één keer Raoul. Na wat ademhalingsproblemen ging het nu goed met Boy. Ze hadden een gesprek met de kinderarts die hun vertelde dat de baby zich niet normaal zou ontwikkelen, iets wat ze al wisten. „Misschien zal het motorisch nog redelijk gaan, verstandelijk zal hij echter op een bepaald niveau blijven staan."

Raoul keek hem strak aan toen hij vroeg: „Wat bedoelt u daarmee? Dat hij geen universitaire opleiding zal volgen, heb ik al begrepen. Maar kan hij wel naar een gewone school of moet hij naar buitengewoon onderwijs?"

„Over een school hoeven we 't niet te hebben. Een dagverblijf is misschien over enkele jaren mogelijk. Het spijt me, maar wat dit kind mist, kan niemand hem geven."

De arts keek Lauren indringend aan. „Denk eraan, het zal zwaar zijn. Kijk het eerst eens een paar weken aan en kom dan terug om te vertellen hoe het gaat. Positief punt is dat hij goed drinkt. Hij krijgt de fles, dus uw man kan dat onderdeel ook eens overnemen." De dokter wierp Raoul een vragende blik toe, maar deze keek koel terug. Dacht die vent werkelijk dat hij zich ging bezighouden met dit kind?

„Laten we gaan," zei hij bruusk.

Nadat ze waren vertrokken, bleef de arts nog even met het dossier bezig. Er zouden problemen komen in dit gezin, hij was er zeker van. Niet alleen vanwege de zorg voor dit kind, maar zeker ook tussen hen tweeën. Ouders die iets dergelijks overkwam, kregen 't altijd moeilijk, maar deze vader was wel erg negatief.

„Moeten we hem dus nu meenemen?" vroeg Raoul op de gang.

„We mógen hem nu meenemen," verbeterde Lauren.

Toen ze later met het reiswiegje vertrokken, ging Lauren voor de veiligheid op de achterbank zitten. Raoul had niets meer gezegd. Hij wist dat hij Lauren daarmee kwetste, maar hij wist absoluut niets positiefs te melden. Dus kon hij beter zwijgen.

Lauren streelde af en toe het gezichtje van Boy. Ze was blij dat hij naar huis mocht, maar toch had ze 't gevoel dat er een steen op haar hart lag.

Toen ze voor de bungalow stopten, opende Agnes de deur en Lauren was enorm blij dat haar moeder er was. Agnes nam het wiegje van haar over en zette het op de bank in de kamer. Fleur kwam op dat moment binnen en boog zich over de reiswieg. Ze zei niets, maar dat zwijgen was veelzeggender dan woorden.

Lauren zei: „Ik ga hem in zijn eigen wieg leggen."

Raoul ving Agnes' blik op. Wat werd er van hem

verwacht? Waarschijnlijk dat hij meeging naar boven. Dus volgde hij Lauren de trap op. Het kamertje was zonnig ingericht met tinten blauw en geel. Lauren zette de reiswieg op de commode en draaide zich om naar Raoul. Hij zag tranen in haar ogen. „Ik had me dit ook anders voorgesteld," zei ze zacht.

Raoul legde zijn arm om haar schouders. „We zullen wel een oplossing vinden," zei hij zonder veel overtuiging.

„Een oplossing? Welke dan?"

„Dat kunnen we nu nog niet overzien. In elk geval kun jij dit alleen niet aan."

Waarom zei hij niet: we redden het samen wel? dacht Lauren.

Raoul voelde dat er meer van hem werd verwacht. Hij kon het echter niet opbrengen en hij wilde geen beloften doen die hij niet kon waarmaken.

Lauren legde haar zoon zorgvuldig in zijn nieuwe bedje, trok aan het koordje van de muziekdoos. Een zacht geklingel vulde het kamertje. Onwillekeurig keek Raoul naar zijn zoon die er precies zo bij lag als in de reiswieg en even apathisch als de afgelopen twee weken in het ziekenhuis. Even vroeg hij zich af of daar ooit verandering in zou komen.

„Denk je dat hij doof is?" vroeg hij.

„Dat weet ik niet. In elk geval is het nog te vroeg om te verwachten dat hij ergens op reageert. Behalve dan op zijn flesje en dat doet hij goed." Ze verschikte nog iets aan het dekentje.

„Zullen we naar beneden gaan?" stelde Raoul voor.

Met een zekere tegenzin ging Lauren met hem mee. Eenmaal beneden zei ze: „We moeten een babyfoon installeren, zodat ik hem beneden kan horen."

Raoul fronste, maar zei niets. Moest heel zijn huis

worden aangepast aan dit kind? Toen Fleur hun iets te drinken had bezorgd, zei Raoul: „Nu moeten we een en ander bespreken."

„Ja. Om te beginnen de datum van de doop."

Stomverbaasd keek Raoul haar aan. „Hoe kom je daar nou bij? Daar hebben we 't helemaal nooit over gehad."

„Ik wil het," zei ze kalm.

„Mag ik weten waarom?"

„Ik ben zelf ook gedoopt."

„Is dat een argument?"

„Misschien niet, maar ik wil dat hij ergens bij hoort. Als jij geen vader wilt zijn, is er nog Iemand anders die dat wel wil."

Raoul was even sprakeloos. Soms had hij het gevoel dat hij Lauren nauwelijks kende. „In elk geval moet hij toch eerst wat sterker zijn," hield hij de boot af. Lauren zei niets, maar hij zag een koppig trekje om haar mond en hij wist dat dit onderwerp voor haar niet was afgehandeld.

„Om te beginnen moeten we hulp hebben," begon hij over iets anders.

„Fleur is er immers. Hoewel ik haar veel liever weg wil hebben."

„Fleur is niet opgeleid om voor een gehandicapt kind te zorgen," zei hij zonder op haar woorden in te gaan. „We moeten iemand hebben met een verpleeg-stersopleiding."

Kalm zei Lauren: „Geen sprake van. Ik kan zelf voor hem zorgen en de eerste tijd is mijn moeder er nog."

„Ik wil niet dat jij je volledig opoffert. We hadden afgesproken dat jij voor mij komt werken."

„Dan moeten we dat uitstellen."

Raoul ergerde zich aan het gemak waarmee ze hem terzijde schoof. Hij keek naar Agnes die zich duidelijk niet in de discussie wilde mengen. Hij besloot de zaak even te laten rusten. Enkele weken proberen, had de kinderarts gezegd. Na die paar weken zou het wel duidelijk zijn dat Lauren de problemen zwaar had onderschat.

In het begin ging het redelijk. Het liep niet echt op rolletjes, maar Agnes nam haar veel uit handen. Boy huilde veel en Lauren weigerde het kind dan aan zijn lot over te laten. Het gevolg was dat ze veel met hem rondliep. Het ergerde Raoul, temeer daar ze toch geen enkel contact met het kind kreeg. Het was nog te vroeg, zei Lauren en ze was er zeker van dat hij haar stem herkende.

Er kwam een dag dat Agnes zei weer terug te moeten naar huis. Lauren voelde paniek opkomen en probeerde dat te verbergen. Eerst gingen ze nog voor controle naar het ziekenhuis, waar ze constateerden dat Boy iets was aangekomen, maar dat er verder geen verandering was.

„Kunt u al iets meer over zijn ontwikkeling zeggen?" vroeg Raoul.

De arts keek hem aan. „Het is een zorgenkind en dat zal hij blijven."

„Ik denk erover om een tehuis voor hem te zoeken," zei Raoul zonder op Laurens heftige reactie te letten.

„Dat is nog veel te vroeg," zei de arts kalm.

„Men kan daar veel beter voor hem zorgen dan wij dat kunnen," weerlegde Raoul.

„De ouders zijn de beste verzorgers," reageerde de arts beslist.

100

„Ik wil hem niet wegdoen," zei Lauren toen ze later in de auto zaten.

„Hij is je meer waard dan ons leven samen, is het niet?"

Lauren keek hem geschokt aan. „Maar zou jij dan werkelijk Boy willen wegbrengen?"

„Ik weet niet of ik dit volhou," zei Raoul strak. „Nu je moeder weggaat, komt alles op jou neer. Op deze manier ben je meer kindermeisje dan echtgenote."

„Hoe doen anderen dit dan?" vroeg ze zich af.

„Welke anderen?"

„Er zijn meer mensen die iets dergelijks overkomt. Je zei zelf dat in jouw familie…"

„Het ene stel is allang uit elkaar. Het jongetje is nu zo'n jaar of tien en bezoekt een dagverblijf. De anderen hebben voor een tehuis gekozen. Ze hebben twee gezonde kinderen en ik weet niet of ze hun oudste ooit nog opzoeken."

Lauren zei niets. Was zij zo abnormaal? Wat waren dat voor mensen die hun luxe leventje en hun pleziertjes niet wilden opgeven voor een kind dat zorgen gaf? „Zou je willen dat ik met mijn moeder meega naar Nederland?" vroeg ze langzaam. Om eraan toe te voegen: „We zijn ten slotte niet getrouwd."

„Zover wil ik helemaal niet gaan. Ik wil alleen dat je over de situatie nadenkt. En ook dat je in die gedachten meeneemt dat je ergens nog een gezonde dochter hebt. Je zou eens kunnen uitzoeken of dat kind niet veel beter op haar plaats is bij haar eigen ouders, dan waar ze zich nu bevindt. Bij een boerenfamilie, heb ik van je moeder begrepen. Je bent indertijd niet erg zorgvuldig geweest."

„Jij hebt geen enkel recht om daar kritiek op te leveren," zei ze heftig. „Of ik nota bene de tijd en de gele-

101

genheid had om een geschikt gezin uit te zoeken. Jij hebt je nergens mee bemoeid."

„Nou, kalm maar," bromde Raoul die merkte dat ze alweer op het randje van tranen was.

Lauren zweeg verder. Haar eerste zorg ging nu toch uit naar het jongetje dat naast haar in de reiswieg sliep. Ze had veel schuldgevoelens over het feit dat ze indertijd haar dochter in de steek had gelaten. Ze wilde die fout niet nog een keer maken.

Enkele dagen later vertrok Agnes met de belofte over niet al te lange tijd terug te komen.

Raoul ging weer naar zijn werk. Lauren had nu geen tijd meer om zich te vervelen. Fleur was er nog steeds, maar de verstandhouding tussen Lauren en het meisje was uiterst koel. Met Boy bemoeide Fleur zich nooit. Lauren betrapte haar er soms op dat ze naar het kind keek of ze hem uitermate griezelig vond. Lauren maakte zich daar kwaad om. Maar ze kon het meisje moeilijk terechtwijzen omdat haar blik haar niet beviel.

Lauren probeerde regelmatig een strandwandeling te maken om er even uit te zijn. Het probleem was dat ze dan aan Fleur moest vragen of die af en toe bij Boy wilde gaan kijken. Met duidelijke tegenzin voldeed het meisje aan dat verzoek. Lauren had af en toe de behoefte om alleen te zijn en nu de vakanties waren afgelopen, was daar geen betere plaats voor dan het strand. Het voordeel daarvan was ook dat het dichtbij was. Raoul had haar verteld dat Stefan terug was naar Nederland. Daarom was ze verrast toen ze hem enkele weken later tegenkwam. Het was Remy die haar het eerst ontdekte en enthousiast op haar af stoof. Stefan volgde met zijn bekende lange passen.

Lauren voelde zich warm worden van verlegenheid

toen ze hem zag. Ze dacht eraan dat hij degene was geweest die het dichtst bij haar was toen haar kind was geboren. Zoiets gaf toch een band, al voelde hij dat misschien niet zo.

Stefan keek gefascineerd naar haar glimlach en de glans in haar groene ogen toen ze hem zag. Hij lachte onwillekeurig terug, kon zich er nog net van weerhouden zijn handen naar haar uit te strekken.

„Ik dacht dat je in Nederland was," zei ze een tikje ademloos.

„Dat was ik ook. Maar niet voorgoed. Nu nog niet tenminste. Ik heb een uitgever voor mijn boek gevonden."

„Echt waar? Wat fijn voor je." En aarzelend: „Dan moet je wel in Nederland wonen, denk ik."

„Ik zou hier ook niet voor altijd willen wonen. Misschien dat ik Raoul vraag of hij eens voor me uitkijkt in Nederland. Een eenvoudig huis buiten de stad, liefst met een grote tuin."

„Je moet dan wel veel verdienen met dat schrijven," zei ze kinderlijk.

„Daar is tot nu toe geen sprake van. Maar ik heb wat gespaard."

„Ja natuurlijk," knikte ze, kwaad op zichzelf dat ze zich zo terneergeslagen voelde.

„Hoe is het met je zoon?" vroeg hij dan.

Ze beet op haar lip. „Dat gaat natuurlijk niet echt goed," zei ze eerlijk. „Hij groeit wel, maar hij zal motorisch en verstandelijk achterblijven. Hij is nu twee-enhalve maand, maar hij kijkt je nog steeds niet aan, laat staan dat hij lacht. Behalve huilen maakt hij geen geluidjes. Hij is heel erg gehandicapt. Maar toch hou ik van hem."

„Natuurlijk, het is je kind," zei hij.

„Raoul wil hem in een tehuis laten plaatsen." Hij bleef haar afwachtend aankijken. „Zou jij dat doen?" „Ik? In een dergelijke situatie kan ik mij absoluut niet verplaatsen. Maar ik hoop dat jullie een oplossing vinden die voor jullie beiden acceptabel is." „Wat bijvoorbeeld?"

Hij haalde de schouders op. „Sorry, maar ik zou het niet weten."

Ze zweeg een beetje beschaamd. Waarom viel ze Stefan hiermee lastig? Misschien omdat ze 't gevoel had dat hij haar serieus nam. „Ik ga maar weer eens terug," zei ze ongemakkelijk.

„Ik neem aan dat je nu geen tijd meer hebt om bij mij koffie te drinken."

„Fleur is niet graag alleen met Boy."

„Is zij nog bij jullie? Ik dacht dat je haar ontslagen had in verband met die nacht toen…"

„Dat was ook zo. Maar Raoul was het er niet mee eens. Ze is verder goed voor haar werk."

Stefan ging er niet verder op door en Lauren dacht dat ze hem nu wel genoeg had verteld over haar leven. Ze bukte zich naar Remy en haalde haar aan. „Is zij ook mee geweest naar Nederland?" vroeg ze.

Hij knikte. „Tot mijn opluchting vindt zij autorijden geweldig."

„Dat moet gezellig zijn onderweg. Ik ga nu echt."

„Zie ik je nog eens?" vroeg hij.

Lauren moest er ineens aan denken dat Raoul indertijd had beweerd dat Stefan een vriendin van hem had ingepalmd. „Wie weet," zei ze vaag. Ze liep van hem weg.

Ze voelde dat hij haar nakeek, maar ze keek niet om. Waarom leek zijn leven zoveel ongecompliceerder dan het hare? Dat kwam niet alleen door Boy. Bij

Stefan kreeg je het gevoel dat hij alle tijd van de wereld had. Terwijl Raoul altijd haast leek te hebben. Was het wel waar wat Raoul over hem gezegd had? Stefan leek haar geen type dat andermans partner inpikte. Stefan had absoluut niet met haar geflirt. Ze vroeg zich echter af waarom zij tegenover hem zo openhartig was. Ze vertelde hem veel meer dan hij vroeg.

Fleur stond boven aan de trap en verontrust vroeg Lauren: „Is er iets?"

„Nee, wat zou er zijn?"

„Ik dacht dat je op de uitkijk stond."

„Ik keek inderdaad naar je uit. Het is zo tijd voor Boys flesje."

„Het zou verstandig zijn als jij dat ook leerde. Er is geen kunst aan."

„O nee, vraag dat niet." Er klonk een begin van paniek in Fleurs stem. Ze ving Laurens blik op en kleurde. „Ik zou bang zijn hem te laten vallen," zei ze nog.

Lauren wist dat Fleur enkele jongere broertjes en zusjes had. Een baby moest toch niets nieuws voor haar zijn. Maar ze vond Boy eng, dat had ze al meer gemerkt. Even gingen haar gedachten weer naar Stefan. Ze had het gevoel dat hij er geen problemen mee zou hebben haar zoon vast te houden. Maar misschien vergiste ze zich en zou hij zich huiverend afwenden, zoals ze Fleur de eerste keer had zien doen.

Pas in het volgende voorjaar bracht Agnes weer een bezoek aan de camping waarvan ze wist dat haar kleindochter er woonde. Kort geleden was ze weer enkele weken in Frankrijk geweest. Waarschijnlijk was daardoor de behoefte ontstaan het mooie meisje opnieuw te zien.

Ze liep eerst wat rond op de camping en keek om zich heen of ze een plekje voor een tent of caravan zocht. En toen liep ze de eigenaar tegen het lijf. „Thijs Luiting," stelde hij zich voor. Zijn doordringende blauwe ogen namen haar afwachtend op en Agnes voelde zich een beetje met de zaak verlegen.

„Ik keek zomaar wat rond," zei ze onbeholpen.

„Dat is niet verboden," antwoordde hij laconiek. „Zoekt u een plaats voor een caravan?"

Het stond haar tegen om regelrecht te liegen. Eerlijk zei ze: „Ik heb geen caravan. Ik ben maar alleen en je vraagt je weleens af wat de mogelijkheden zijn om met vakantie te gaan."

„Sommige alleenstaanden komen met een caravan," zei hij.

Ze knikte. „Het is hier een mooi plekje." Ze keek naar het jongetje dat hun richting uit kwam. „Uw zoon?" vroeg ze.

„Dat is Martijn."

„Heeft u nog meer kinderen?"

„Er is nog een dochter." Verbeeldde ze het zich of klonk dit wat afwerend? Het viel haar ook onmiddellijk op dat hij niet zei: ik of wíj hebben nog een dochter, maar: er ís nog een dochter!

Ze vond zichzelf ronduit gemeen toen ze vroeg: „Lijkt zij ook zo op u?"

„Ik dacht van niet. Kijkt u rustig nog wat rond, ik moet weer aan het werk."

Agnes keek hem even na. Zijn blonde zoon die dezelfde intens blauwe ogen had als zijn vader, stapte naast hem voort. Wat nu? Ze was hier gekomen om haar kleindochter te zien. Ze wilde niet onverrichterzake terugkeren. Ze had er ook enorm behoefte aan om het kleine meisje weer te zien. Zeker na het getob met Boy, dat ze weer van nabij had meegemaakt.

Het jongetje was nu bijna een jaar, maar hij lag nog steeds apatisch in zijn bedje of in de box. Lauren was veel met haar zoon bezig, maar haar inspanningen gaven geen enkel resultaat te zien. Daarbij was haar dochter buitensporig blij als het kind alleen zijn ogen opende op het horen van haar stem. Agnes had diep medelijden met haar dochter. Ze had ook gemerkt dat het tussen Lauren en Raoul niet echt goed ging. Agnes moest toegeven dat ze wel een beetje begrip voor Raoul kon opbrengen. Laurens aandacht ging volledig naar het kind uit en ze verwachtte van Raoul hetzelfde.

Agnes zuchtte. Ze schaamde zich dat ze zelf ook weinig genegenheid voor het jongetje kon opbrengen. Ze wilde hem graag lief vinden, echt waar... Maar het enige wat ze voelde was een mengeling van medelijden en afkeer.

Intussen liep ze langzaam verder tot bij de uitgang van de camping waar een breed pad naar het woonhuis leidde. Er stond een bord met daarop vermeld dat groenten, fruit en verse eieren in de schuur te koop waren. Ze hadden dus een boerderijwinkel. Goed, dan was zij een voorbijganger die van verse producten hield.

Ze kwam bij een houten optrekje waar de spullen waren uitgestald. Er was echter niemand te zien. Langzaam liep ze om het huis heen en daar zag ze het kind. Toen het meisje opkeek, sloeg Agnes' hart een slag over. Het was of ze Lauren zag als kind. De ogen hadden al een groene tint, maar de kleur zou nog intenser worden.

107

„Hallo," zei ze vriendelijk. Het kind lachte, waarop een kuiltje in haar ene wang verscheen. Er was geen twijfel mogelijk: dit was precies Lauren. „Waar is je moeder?" vroeg ze.

„Mama," riep het kind, zonder aanstalten te maken weg te lopen. Haar moeder was kennelijk in de buurt, want ze verscheen direct. Of mogelijk reageerde ze op ieder geluid van het meisje.

„Ja?" zei de vrouw niet erg vriendelijk. Agnes herinnerde zich die onrustige, bezorgde blik van de vorige keer.

„Ik wilde wat groenten en eieren meenemen," zei Agnes, blij dat ze dat excuus kon hanteren. Intussen kon ze haar ogen niet van het kleine meisje afhouden.

„Er is daar een bel," zei de vrouw kortaf.

„Neem me niet kwalijk, die heb ik niet gezien."

De vrouw keek haar nog eens wantrouwend aan en wenkte haar toen mee te komen. Toen Agnes de grote bel in de deuropening zag hangen, begreep ze waarom de vrouw haar niet geloofde.

Het kleine meisje liep met hen mee en Agnes volgde haar met haar ogen. Toen ze de blik van de ander opving, zei ze: „Wat een mooi kind. Ik zag uw zoon daarnet, hij is ook knap. Maar ze zijn wel heel verschillend."

„Ik dacht dat u groenten wilde," zei de ander koel.

„Dat is ook zo." Agnes kocht een en ander, waaronder eieren en appels. Het was te veel, maar ze had moeite om weg te gaan. Het was of het kind haar vasthield. „Hoe heet ze?" vroeg ze naar de bekende weg.

De vrouw aarzelde, leek dan toch te begrijpen dat het vreemd zou staan als ze zo'n eenvoudige vraag weigerde te beantwoorden. „Ze heet Rosy. Was er verder nog iets?"

Agnes schudde het hoofd en rekende af. „Wil jij wat voor me dragen?" vroeg ze impulsief aan het meisje.

Het kind keek vragend naar haar moeder, maar deze schudde het hoofd. „Ik loop wel mee."

Agnes was graag even met het kind alleen geweest, maar ze begreep dat dit niet door zou gaan. De vrouw hielp haar de spullen in de auto te laden en wachtte, duidelijk ongeduldig, tot ze zou wegrijden. Agnes keek naar het kind. „Dag Rosy," zei ze zacht.

De vrouw fronste het voorhoofd. „Heb ik u al eens eerder gezien?" vroeg ze onverwacht.

„Ik was hier vorig jaar ook een keer," antwoordde Agnes eerlijk.

„Woont u hier in de buurt?"

„Ik woon in Utrecht."

„Ik neem aan dat ze daar ook groenten verkopen," zei de vrouw, het kind bij de hand nemend.

Agnes voelde de vijandigheid van de ander, en dat deed haar zeggen: „Zeker. Alleen hebben ze daar geen Roseline." Waarop ze in de auto stapte en weg-reed. In haar spiegel zag ze de twee figuren langzaam kleiner worden tot de weg een bocht maakte en ze uit het zicht waren.

Ze slikte met moeite haar tranen weg. Zo'n vol-maakt kind. En Lauren, wat had ze ervoor in de plaats gekregen? O, zo mocht ze niet denken. Boy was ook een schepsel van God. Hij had ook het onvolmaakte lief en verwachtte hetzelfde van degenen die in Hem geloofden. Maar het was wel heel erg moeilijk.

Teresa liep intussen langzaam de terugweg, Rosy ste-vig bij de hand houdend. Dit beviel het meisje hele-maal niet, ze friemelde net zolang tot haar moeder haar losliet en holde toen vooruit. Ze lette niet op haar moeder die naar haar riep dat ze moest wachten. Teresa wilde haar achternarennen, maar hield zich in. Er kon Rosy hier niets gebeuren.

Thijs zei voortdurend dat ze het kind te veel in bescherming nam. Dat Rosy zich op den duur een gevangene zou voelen. Sinds ze Rosy als baby in huis hadden gehaald, had Teresa echter weinig rust gekend. Altijd was ze bang geweest dat de moeder zou komen opdagen. Het meisje was heimelijk onder de heg neergelegd, kon zij niet op dezelfde geheimzinnige manier weer verdwijnen?

De vrouw die net was vertrokken, had haar onrustig gemaakt. Natuurlijk, er zeiden geregeld mensen dat Rosy een mooi kind was en dat zij en haar broertje totaal niet op elkaar leken. Maar deze vrouw was anders. Het was of ze meer wist dan ze wilde zeggen. Daarbij had ze het kind Roseline genoemd. Zo heette ze ook. Maar Thijs en zij hadden het meisje vanaf het begin de verkorte vorm als naam gegeven. Roseline was veel te opvallend. Maar deze vrouw had ervan geweten.

Ze herinnerde zich nu dat ze vorig jaar ook was geweest en dat ze toen ook dagen van slag was geweest. Het zweet brak Teresa uit. Stel je voor dat Rosy werd ontvoerd! Ze zou nog oplettender moeten worden.

Toen ze even later het meisje samen met Martijn in de zandbak zag liep ze naar hen toe. „Kom maar binnen spelen," zei ze overredend.

„Nee," zei het kind met de onverzettelijkheid van een driejarige.

Teresa aarzelde. Het was prachtig weer, ze zou haar dochter alleen onder dwang binnen kunnen houden. „Zul je goed op haar passen?" vroeg ze Martijn.

„Dat doe ik toch altijd," antwoordde haar zoon op een toon of hij dit al honderd keer had gehoord, wat in zijn ogen ook zo was.

„Niet met vreemden praten," voegde Teresa er nog aan toe.

Martijn antwoordde niet. Zijn moeder vroeg dit vaak, maar aan dit verzoek was moeilijk te voldoen. Er kwamen regelmatig mensen op het terrein die ze niet kenden. Zijn vader had hem geleerd beleefd te zijn. Martijn was altijd meer geneigd naar zijn vader te luisteren dan naar zijn moeder.

Hij wist dat hij voor Teresa minder belangrijk was dan zijn zusje. Hij hield veel van Rosy, maar vond haar af en toe ook knap lastig. Ze was niet eens echt zijn zusje, maar daar mocht hij nooit over praten van zijn moeder. Hij had een keer een klap van haar gehad. Dat was die keer toen hij woedend had geschreeuwd: „Ze is niet eens van ons. We hebben haar gevonden."

Toen hij troost bij zijn vader had gezocht had deze gezegd: „Praat daar nooit over, Martijn. Daar wordt mama erg verdrietig van."

„Maar ze weet het toch," had hij verontwaardigd uitgebracht.

„Ja, maar ze wil het vergeten," had Thijs zuchtend geantwoord. Dus Martijn had het nooit meer ter sprake gebracht, maar hij was niet van plan het ooit te vergeten.

## 8

Lauren wilde zichzelf niet toegeven dat de verzorging van haar zoon haar heel zwaar viel. Raoul had al enkele malen voorgesteld stappen te ondernemen, zodat ze meer hulp kreeg. Tot nu toe had ze echter geweigerd.

Ze wist dat Raoul haar verweet dat al haar tijd en aandacht naar Boy ging. Lauren voelde heel goed dat de band tussen hen losser werd. Ze had het daar moeilijk mee, maar wist niet hoe ze het kon veranderen. Het zou allemaal gemakkelijker zijn als Raoul van zijn zoon hield, vertelde ze zichzelf. Maar misschien moest ze al blij zijn dat hij niet meer over een tehuis praatte.

Lauren zat heel vaak met Boy op schoot, of alleen maar stil bij zijn bedje. Het kindje gaf soms een blijk van herkenning als hij haar zag. Wat was ze blij geweest met dat eerste glimlachje. Hij probeerde zich op te richten, maar kwam niet verder dan het optillen van zijn hoofdje dat nog steeds te zwaar leek voor het tengere nekje. Al heel snel staakte Boy deze vruchteloze pogingen, alsof hij wist dat het toch niets uithaalde. Ondanks dit weinige contact hield Lauren van hem. Misschien juist omdat hij zo kwetsbaar was en haar zo nodig had. Ze wist ook dat dit geen jaren zou duren. Ze was al een keer bij zijn bedje gekomen toen er iets mis was. Het leek of hij niet ademde. Ze had hem met een ruk in haar armen getild, waarop hij was gaan hoesten en de normale kleur op zijn gezichtje was teruggekeerd. Toen ze dit later aan de dokter vertelde, had deze bezorgd zijn hoofd geschud. „Je zult een keer te laat komen, vrees ik. Maar een hartoperatie kan hij nu nog niet aan."

Raoul had dat alles zwijgend aangehoord. Hij praatte sowieso zelden over het kind. En aangezien Lauren zich nauwelijks met iets anders bezighield, was hun conversatie minimaal. Raoul raakte haar nauwelijks meer aan.

En toen kwam de avond dat ze in haar slaapkamer een en ander veranderd vond. In plaats van twee bedden stond er nog maar een. Ze bleef even verdwaasd staan kijken, liep dan de gang door naar de logeerkamer, waar Raoul bezig was het bed op te maken. „Waar ben je mee bezig?" vroeg ze.

„Ik verhuis naar deze kamer."

Ze had het gevoel of hij haar had geslagen. „Maar waarom...? Er gebeurt nooit meer iets tussen ons, en..."

„Daarom juist. Dat wil ik ook voorkomen. En hoewel jij tegenwoordig alleen maar moeder bent, ben ik ook nog je man."

„Raoul, ik heb nooit geweigerd. Jij wilde niet... Ik dacht dat je vroeger, ik dacht dat je..."

„Het goed vond met jou? Dat was ook zo." Hij keek haar recht aan. „Ik kan het je maar op één manier vertellen, Lauren. En dat is recht voor z'n raap. Ik wil niet het risico lopen op nog zo'n kind als Boy."

„Ik ben toch aan de pil," fluisterde ze.

„Lauren, ik vertrouw je niet meer. Je was twee keer zogenaamd onverwacht zwanger. Wie zegt me dat je niet weer zult proberen mij te bedriegen? Tenslotte heb je een keer een gezond kind gekregen. Ik zou het niet eens vreemd vinden, als je het nog een keer wilde proberen. Maar ik werk daar niet aan mee."

„En wat nu?" vroeg ze.

Hij kwam naast haar staan, legde zijn arm om haar heen. „Ik hou nog steeds van je," mompelde hij. „Als

113

jij je verstand eens terugkreeg, Lauren?"
„Je bedoelt dat Boy weg moet." Hij zweeg, maar voor haar was dat antwoord genoeg. „Dat kan ik niet, ik kan hem niet in de steek laten," zei ze half huilend.
„Toch lukte je dat bij je dochter wel. En toen was je niet eens zeker van een goede verzorging," zei hij koel.
„Je weet dat ik daar nu spijt van heb."
Hij ging op de rand van het bed zitten en trok haar naast zich. „We kunnen proberen haar terug te krijgen. Boy hoeven we niet te vondeling te leggen. Niemand wil zo'n kind. Maar wij..."
„Het is óns kind," zei ze opstaand. „Als je het niet meer aankunt, Raoul, dan ga ik wel weg."
„Waar wil je heen? Overigens, hieruit blijkt wel wie het belangrijkste voor je is."
„Hij is van mij afhankelijk."
Ze verliet het vertrek, vechtend tegen haar tranen. Er was niemand met wie ze kon praten. Haar moeder had gezegd dat ze inzag hoe moeilijk het was, maar dat ze Raoul ook kon begrijpen.
Stefan, dacht ze. Ze had hem al langere tijd niet gezien, hij was de winter in Nederland geweest. Maar nu scheen hij weer in het huisje te verblijven. Maar wat zou Stefan voor zinnigs kunnen zeggen? Ze wilde alleen graag met iemand praten die er niet bij betrokken was. Raoul zou een ontmoeting met Stefan vast niet goedkeuren. Maar hij hoefde het niet te weten. Ze maakte nog steeds af en toe een strandwandeling. Wie kon daar bezwaar tegen hebben? Ze zag ernaar uit Stefan weer te ontmoeten. Hij was heel aardig voor haar geweest.
Het duurde echter nog enkele dagen voor ze haar plan kon verwezenlijken. Ze zag Stefan regelmatig

vanuit de verte op het strand, maar het zou opvallen als ze bij slecht weer de trap afrende, op weg naar hem toe.

Op een morgen was het echter helder voorjaarsweer en nadat ze Boy in bad had gedaan en zijn fles had gegeven, besloot ze te gaan. Toen ze het tegen Fleur zei, antwoordde deze: „En je bent altijd zo moe na de verzorging van Boy."

„Even buiten zijn is gezond," antwoordde ze kortaf. Ze trok haar jas aan en ging. Fleur had overigens gelijk: het was doodvermoeiend om Boy in bad te doen, vooral omdat hij niet meewerkte. Ze had altijd pijn in haar schouder van het tillen. Onder aan de trap keek ze om en zag Fleur aan de rand van het terras staan. Ze kreeg even de kinderachtige neiging haar tong uit te steken, maar deed het toch maar niet.

Toen ze uit het zicht was, begon ze te rennen. Ze had ineens enorm behoefte om te bewegen, om frisse lucht in te ademen. Ze hield het echter niet lang vol, en mopperde op zichzelf dat ze geen conditie had. Dat ze zichzelf deze winter had verwaarloosd. Toen zag ze Stefan en ze begon langzamer te lopen. Haar ogen schitterden en ze had een kleur op haar wangen toen ze bij hem was. Terwijl Remy om haar heen danste, keek hij haar met een glimlach aan. „Je ziet er geluk-kig uit." Ze reageerde hier niet op, maar dacht: wat kan een mens zich vergissen. Hij leek echter de ver-andering in haar ogen te zien, en vroeg: „Hoe is het écht met je?"

„Zo goed als het kan zijn met een gehandicapt kind en een man die zich daar niet verantwoordelijk voor voelt." Ze beet op haar lip, had de woorden wel wil-len terughalen. „Dat had ik niet moeten zeggen," mompelde ze.

115

„Het zit je kennelijk hoog," antwoordde hij vriendelijk.

„Ik heb te weinig begrip voor Raoul."

„Denk je?"

Ze knikte. „Ik realiseer me niet altijd hoe zijn leven veranderd is."

„En het jouwe," meende hij.

„Ja, maar voor mij is het anders. Ik bedoel een moeder... men zegt altijd..." Hij bleef haar aankijken en ze kreeg een kleur.

„Zullen we samen oplopen?" vroeg hij. Ze knikte en even later liepen ze naast elkaar voort. De hond sprong vrolijk om hen heen, rende voor hen uit en kwam weer terug. Ze bespotte zichzelf omdat ze ineens de behoefte voelde haar arm door de zijne te steken, of zijn hand vast te houden. Hij leek haar zo'n rots in de branding.

„Wat ze zeggen is niet belangrijk," ging hij dan verder of er geen pauze was geweest. „Het gaat erom wat jijzelf voelt."

„Ik wil heel graag van hem houden. Hij is zo kwetsbaar en afhankelijk," zei ze zacht. En toen hij bleef zwijgen: „Hij kijkt me nauwelijks aan. Lachen doet hij zelden."

„Dat lijkt me heel moeilijk. Liefde moet toch gevoed worden, zegt men."

„Ik geloof, nee, ik weet wel zeker dat ik als moeder niet deug."

Hij begon te lachen. „Dat lijkt me nogal overdreven."

Hij zou er wel anders over denken als hij wist van haar dochter, dacht Lauren somber.

„Heb je tijd om bij mij koffie te drinken?" vroeg Stefan dan. Ze aarzelde slechts een moment voor ze toestemde. Fleur zou toch wel commentaar leveren. Ze hield dat niet voor zich, zeker niet nu ze wist dat Lauren in feite niets over haar te zeggen had.

Even later zat ze in een van de rieten stoelen in Stefans gezellige kamer. „Om je een hart onder de riem te steken: ik deug niet als leraar," zei Stefan toen hij de koffie voor haar neerzette.

Verbaasd keek ze hem aan. „Dat kan ik me niet voorstellen."

„Toch is het zo. Als ik niet zelf mijn ontslag had genomen, had ik het zeker gekregen. Ze hebben de eer aan mijzelf gelaten. Ik kan erg driftig worden."

„En mag dat niet?"

„Als je 't binnen de perken weet te houden. Maar dat lukte mij dus niet. Ik mepte er een keer op los. Het feit dat de jongen mij voortdurend uitdaagde, deed niets ter zake. Een mens moet zich leren beheersen. En dat kan ik nog steeds niet. Toen jij mij daarnet vertelde dat Raoul jou eigenlijk in de steek laat, begon ik te trillen van woede. Ik wenste dat ik hem tegen de vlakte kon slaan. Dus…"

„Zou je dat echt doen?" vroeg ze bezorgd.

„Ik vrees van wel. Dit is ook een soort handicap. Ik heb enkele relaties gehad, maar alles loopt stuk op het feit dat ik het niet aandurf om kinderen te hebben."

„Wat een onzin," flapte ze eruit. „Alleen omdat je driftig bent? Er zou dan toch een vrouw naast je staan."

„Die mij in toom zou houden, bedoel je?"

„Zoiets," mompelde ze.

„Toch durf ik het risico niet te nemen."

Ze zweeg. Ze had hier immers niets mee te maken. Maar ze bleef er wel over nadenken, en zei na een lange stilte: „Misschien vind je ooit een vrouw die even-min als jij aan kinderen durft te beginnen."

„Wie weet," zei hij spottend. „Het valt een beetje tegen, niet?"

Ze haalde de schouders op. Waarom zou ze toegeven dat ze hem vele goede eigenschappen had toegedicht? Waarschijnlijk had hij die ook. Hij blies die zaak veel te veel op.

„Eigenlijk zouden veel mensen er beter over moeten nadenken voor ze aan kinderen beginnen," zei ze peinzend. „Wij bijvoorbeeld. Wij wisten dat er een kans was dat ons kind gehandicapt zou zijn, al hoorde ik het pas toen ik al zwanger was. Toch zette ik door. En nu hij er eenmaal is, kan ik niet onvoorwaardelijk van hem houden. Zijn gejengel irriteert mij soms. Ik schaam me zo." Plotseling liepen haar de tranen over de wangen.

Hij schoof zijn stoel wat dichterbij en boog zich naar haar toe. Met zijn duim veegde hij een traan van haar wang. „Het is ook wel erg zwaar voor je," zei hij zacht. „Ook gezonde kinderen irriteren soms hun ouders."

Ze week wat achteruit in haar stoel. Zijn bruine ogen waren wel erg dichtbij. „Ik moet eens gaan," zei ze ongemakkelijk.

Hij stond op. „Kom nog eens langs als je wilt. Ik wil ook graag een keer bij je komen om je zoon te zien. Tenslotte was ik dichtbij toen hij werd geboren. Natuurlijk kom ik als Raoul thuis is. Ik wil toch eens met hem over de verkoop van dit huisje praten."

„Goed. Dan moet je maar een afspraak met hem maken." Bij de deur draaide ze zich naar hem om. „Je kunt beter boos worden op een kind dan totaal onverschillig zijn," zei ze nog.

118

Hij keek haar na. Toen ze enkele meters verder was, trok ze haar schouders naar achteren. Ze is dapper, dacht hij. En het zit haar niet mee. Uit alles bleek dat Raoul niet echt bij haar en het kind betrokken was. Lauren haastte zich terug naar huis. Ze was weer veel te lang weggebleven. Met twee treden tegelijk rende ze de stenen trap op. Op het terras hoorde ze Boy al klaaglijk huilen. Natuurlijk, het was tijd voor zijn flesje en ze had kunnen weten dat Fleur dat niet zou verzorgen.

Ze vond het meisje in de keuken bezig met het mengen van een salade. Het eten zou vast weer voortreffelijk zijn. Dan kon Fleur weer een complimentje van Raoul verwachten. Iets waar het meisje, volgens Lauren, iedere avond naar uitkeek.

„Waarom liet je hem huilen?" vroeg ze.

„Hij is toch niet te kalmeren," zei het meisje. Ze zou er vast ook geen enkele moeite voor gedaan hebben, dacht Lauren boos.

Ze haastte zich de trap op, keek even later naar het zielig huilende kindje. Een gezond kind van die leeftijd zou zich al overeind hebben gewerkt, misschien aan de spijlen van het bedje rammelen. Maar Boy kon helemaal niets, alleen liggen en huilen. Ze tilde het kind op en hield hem dicht tegen zich aan. „Mijn arme jongetje," zei ze zacht. „Je bent niet voor je plezier op de wereld, is het wel? Stil maar, stil maar, je krijgt je flesje en dan is alles weer goed." Maar ze besefte op hetzelfde moment dat het níet goed zou komen. Nooit!

Na het avondeten, waarvoor Fleur weer uitvoerig door Raoul gecomplimenteerd was, zaten ze samen in de kamer. Dat gebeurde niet zo vaak, want Raoul had 's avonds meestal vergaderingen of trok zich terug in zijn kantoor. Hij was dan weliswaar thuis, maar toch onbereikbaar. Lauren dacht bij zichzelf dat ze zich niet helemaal ontspannen voelde met Raoul in de buurt. Dat was er niet beter op geworden sinds ze aparte slaapkamers hadden. Wat hadden ze eigenlijk nog wél samen? dacht ze verdrietig.

„Je was vanmiddag niet thuis," zei Raoul opeens.

„Heeft Fleur je ingelicht? Ik wilde even buiten zijn."

„Dat is niet verboden. Ik besef heus wel dat je weinig vrijheid hebt. Maar dat kan veranderen."

„Raoul... Nee. Ik weet wat je wilt zeggen."

„O ja? Ik wilde zeggen: wij hebben 't weleens over trouwen gehad."

Verbouwereerd keek ze hem aan.

„Ik wil nog steeds met je trouwen, Lauren. Maar dan moeten we opnieuw beginnen. Zonder hem." Hij maakte een hoofdbeweging naar boven.

„Dat lijkt op chantage," zei ze koel.

„Toe nou, Lauren. Het is gewoon verstandig redeneren. Overleg eens met je moeder. Je gooit op deze manier je hele toekomst weg, besef je dat niet?"

Ze antwoordde niet. Ze kon dit niet anders zien dan als chantage. Wilde ze eigenlijk nog wel met Raoul trouwen? Hij was dan wel de vader van haar twee kinderen, maar ze wist zeker dat ze nooit in een dergelijke ruilhandel zou toestemmen. Boy wegdoen en in ruil daarvoor trouwen!

„Ik stel voor dat we stappen ondernemen om Roseline terug te halen," zei hij dan.

„Daar werk ik niet aan mee," zei ze kortaf.

„Je bent alleen maar koppig," zei hij.

Was dat zo? Was ze alleen dwars, of wilde ze echt het beste voor haar kind?

„Denk er eens aan wat je allemaal opgeeft," zei hij nog.

„Dat zijn allemaal materiële zaken."

„O ja?"

Hij keek haar aan en met schrik bedacht ze dat ze niet eens aan Raoul zelf had gedacht. Wat mankeerde haar? Ze was zo verliefd op hem geweest. Ze had gemeend dat ze niet zonder hem kon leven, had zelfs haar baby voor hem opgegeven. Raoul was niet zoveel veranderd. Zíj was degene die een andere koers was gaan varen. Ze zou nu nooit haar kind voor hem opgeven.

„Felle vuren branden snel uit," had haar moeder aan het begin van hun relatie gezegd.

Raoul stond op toen de telefoon ging. „We moeten een oplossing vinden," zei hij nog.

Ze hoorde hem een afspraak maken voor de volgende avond. „Dat was Stefan. Je wist er waarschijnlijk van," zei hij, haar strak aankijkend.

„Ik kwam hem tegen op het strand. Hij vertelde dat hij zijn huis wil verkopen."

Raoul knikte. „Het zal de zaak tussen ons vereenvoudigen als hij voorgoed naar Nederland is vertrokken," zei hij tot haar verbazing. „Want ik heb het idee dat je zelfs kijkt of je zijn voetstappen in het zand ziet. En als dat zo is, dat je hem onmiddellijk achternagaat."

Ze reageerde niet direct, want ze voelde zich toch enigszins schuldig. Raoul had wel een beetje gelijk: ze keek soms naar Stefan uit en ze was graag bij hem.

„Hij is aardig. Maar hij vertelde mij dat hij erg driftig kan worden." Gelijk had ze spijt van die woorden. Stefan had haar dit in vertrouwen verteld, hoe kon ze het er zomaar uitflappen? Raoul zag er op dat moment uit of hij zeer tevreden was over datgene wat hij net had gehoord. „Je moet daar niet met Stefan over praten," zei ze een beetje zenuwachtig.

„Als je zo met iemands vertrouwelijke mededelingen omspringt, kun je dat verwachten. Ik vraag me af wat je hem over mij hebt verteld. Misschien dingen over ons leven samen?"

„Natuurlijk niet," zei ze fel.

Raoul zweeg er verder over en ging even later nog wat werken in zijn kantoor.

Lauren voelde zich onrustig. Raoul kon niets met deze opmerking, probeerde ze zichzelf gerust te stellen. Hij zou heus geen lagere prijs voor het huis bedingen omdat Stefan last had van driftbuien. Maar dat hij daar nu van op de hoogte was, was wel haar schuld. Als Stefan erachter kwam zou hij haar dat vast kwalijk nemen. Maar iets dergelijks was toch geen schande? Ze deed of hij een misdrijf bekend had.

De volgende avond kleedde ze Boy in zijn mooiste pakje. Ze was daar nog mee bezig toen Raoul binnenkwam en vroeg: „Gaat hij ergens heen?"

Ze kreeg een kleur. „Ik wilde hem even beneden houden. Stefan heeft hem na zijn geboorte niet meer gezien."

„Je meent het! Je wilt met hem showen. O Lauren, je bent belachelijk en tegelijk zielig."

„Ik schaam me niet voor hem, zoals jij," zei ze fel.

Hij haalde de schouders op. „Je doet maar." Hij verdween uit het vertrek.

Lauren slikte haar tranen weg, terwijl ze probeerde een onwillig armpje door een mouw te krijgen. Misschien gedroeg ze zich wel belachelijk en vond Stefan dat ook. Of nog erger, zielig. Maar wat kon haar zijn oordeel schelen? Had hij zelf niet gezegd dat hij Boy wilde zien?

Toen het kind klaar was, nam ze hem op haar arm mee naar beneden. Ze legde hem in de box waar hij apathisch bleef liggen. Raoul kwam ook binnen, wierp een vluchtige blik op zijn zoon, en zei toen: „Denk je niet dat je Stefan hiermee in verlegenheid brengt? Ik bedoel, ik zou niet weten wat ik zeggen moest als er van mij commentaar werd verwacht op iets als Boy."

Voor Lauren kon antwoorden ging de bel. Ze strengelde nerveus haar vingers in elkaar, probeerde zich uit alle macht te ontspannen. „Zo, jullie kennen elkaar," deed Raoul joviaal toen hij met Stefan binnenkwam. „Met Boy heb je nog niet kennisgemaakt, maar ik ben bang dat dat hem ook geen zier interesseert."

Stefan boog zich over de box en keek even zwijgend op het kind neer. „Hij heeft mooie ogen," zei hij na een moment. Toen keek hij Lauren aan. „Vind je niet?"

Ze knikte woordeloos, de brok in haar keel belette haar te praten.

„Ga zitten, man, wat wil je drinken?"

Stefan pakte een stoel en vroeg om koffie. Lauren stond op. Alle andere drankjes verzorgde Raoul, maar koffie was haar taak. Ze was ook blij dat ze even weg kon. „Hij heeft mooie ogen." Daarmee was Stefan werkelijk de eerste die een positieve opmerking over Boy maakte. Hij had inderdaad de intens blauwe ogen van Raoul, maar ze wist wel zeker dat die daar niet blij mee was.

Toen ze later terugkwam, praatten de mannen over de verkoop van het huis en over de huizenmarkt in het algemeen. Ze zette de koffie voor hen neer en toen zei Raoul tot haar verbazing: „Lauren kan uitstekend koffiezetten."

Lauren wist niet wat ze van dit belachelijke compliment moest denken. Bedoelde hij soms dat dit het enige was waar ze goed in was?

„Koffiezetten kan iedereen. Maar een gehandicapt kind verzorgen is wel iets anders," zei Stefan.

Uit Raouls antwoord begreep Lauren dat hij Stefan uit zijn tent had willen lokken. „Ik vind het te zwaar voor haar. Er zijn tehuizen voor dergelijke kinderen. Het is misschien niet zo geregeld als in Nederland, maar wij kunnen de extra kosten best betalen. Lauren heeft de werkelijkheid volledig uit het oog verloren. Waarom ligt Boy bijvoorbeeld in de box? Is ze soms bang dat hij uit deze kamer zal weglopen? Was dat maar waar. Maar dat zal hij nooit doen. Nooit!" Er klonk enige emotie in Raouls stem door.

„Ik begrijp dat het voor jullie beiden heel moeilijk is."

„Welnee, daar begrijp je niets van. Jij bent vrij man, je doet wat je wilt. Hoe zou jij zoiets kunnen begrijpen? Als jij een dergelijk kind had, zou je het dan houden?"

„Ik denk niet dat er een keus is," antwoordde Stefan. „Er is nu eenmaal veel dat onvolmaakt is op deze wereld."

„Man, bespaar me een preek. Weet je wat jij zou doen? Je zou woedend worden als je kind nergens op reageerde. Je zou een driftbui krijgen en hem door elkaar schudden. Overigens zou dat ook niet helpen."

Stefan wierp een snelle blik op Lauren. Ze zag aan zijn ogen dat hij begreep dat Lauren over zijn driftbuien had verteld. Toen kwam er iets anders in haar gedachten. „Heb jij Boy weleens door elkaar geschud?" vroeg ze Raoul.

„Natuurlijk niet. Het was maar bij wijze van spreken. Je weet dat ik hem nooit vasthoud."

Dat was een feit, Raoul had het kind nooit aangeraakt.

Stefan stond op en pakte het kind uit de box. Boy liet een klaaglijk geluidje horen. Lauren zag de blik in Stefans ogen en begreep dat hij woedend was. „Zie je, er is niets moeilijks aan," zei hij tot Raoul.

„Wilde je mij leren hoe ik met dit kind moet omgaan?"

„Dit kind is je zoon. Dat feit ligt er en is nu eenmaal moeilijk te negeren. Besef je niet dat je 't voor je vrouw dubbel zwaar maakt door je zo afzijdig te houden?"

„Je voelt je wel erg betrokken bij mijn vrouw, is het niet?" Raouls stem klonk gevaarlijk kalm.

Stefan legde Boy terug in de box en zei: „Ik heb weleens de neiging me betrokken te voelen bij mensen die mijns inziens in de verdrukking zitten."

„Ik kan zelf voor mijn vrouw zorgen, ze komt niets te kort. Als ze Boy door anderen zou laten verzorgen, heeft ze een leven als een prinses."

„Misschien wil ze helemaal geen leven als een prinses met zo'n lomperik als prins."

Lauren stond op. „Ik weet niet wat er in jullie is gevaren, maar ik neem aan dat deze afspraak niet was gemaakt om over mij te praten. Ik wil er in elk geval niet bij zijn." Ze verliet de kamer.

In de keuken leunde ze tegen het aanrecht, ze merkte dat ze beefde. Het brede keukenraam keek uit op het strand. Het was bijna donker, de scheiding tussen lucht en water was nauwelijks meer te zien. Het was goedbedoeld van Stefan. Hij meende het voor haar te moeten opnemen, maar hij kon dat beter niet doen, want Raoul werd er woedend over. Plotseling klonken hun stemmen harder, het leek of ze ruzie hadden. Even aarzelde ze, maar toen dacht ze aan wat Stefan had gezegd over zijn driftbuien. Met enkele stappen was ze terug in de kamer. Stefan had Raoul bij de keel en schudde hem of hij een hond was. „Laat hem los. Wat mankeert jullie?" riep ze boos.

Stefan deed inderdaad wat ze vroeg, ging enkele stappen achteruit, maar hield Raoul niettemin in het oog.

„Lauren zei al dat je last hebt van driftbuien," zei Raoul, terwijl hij zijn kleren fatsoeneerde. „Maar ik had niet gedacht dat jij me in mijn eigen huis zou aanvallen."

„Je weet drommels goed wat daarvan de reden was. Overigens, ik regel de verkoop van mijn huis wel met een andere makelaar. Ik kom er wel uit."

Ze liep met hem mee. „Wat heeft hij gezegd?" vroeg ze ongelukkig.

„Vraag het hem. En als jij je vrienden niet kwijt wilt raken, wil je misschien een goede raad aannemen: dingen die ze in vertrouwen hebben gezegd moet je niet doorvertellen."

„Het spijt me," zei ze zacht.

„Goed. We zullen elkaar niet vaak meer zien. Zo gauw mijn huis is verkocht vertrek ik naar Nederland."

„Ik hoop dat je boek een succes wordt," zei ze mat.

„Dank je." Hij maakte een gebaar en even dacht ze dat hij haar wilde aanraken, maar hij liet zijn hand weer zakken. „Het beste," zei hij nog.

Ze bleef staan tot ze zijn voetstappen niet meer

hoorde. „Je zult je vrienden kwijtraken." Hij had zichzelf dus als een vriend beschouwd. Nou, ze wist dat ze zo iemand wel nodig had. Ze had hier immers geen vrienden. In Nederland had ze ook alle schepen achter zich verbrand. En hoe zou ze in deze omgeving vrienden kunnen maken? Ze kwam niet verder dan haar huis en het strand.

Wat zou Raoul hebben gezegd dat Stefan zo boos was geworden? Hoewel hij natuurlijk al flink kwaad was omdat zij had doorverteld wat hij in een vertrouwelijk moment aan haar had opgebiecht.

Ze sloot de deur en ging naar binnen. Boy was in de box in slaap gevallen en ze legde een dekentje over hem heen. Als ze hem nu in bed legde, was de kans groot dat hij wakker werd en een poos huilde. Ze keek naar Raoul, die de krant las of er niets gebeurd was.

„Wat heb je tegen Stefan gezegd?" vroeg ze.

„Je hebt gelijk: hij wordt driftig om niets."

„Dat vroeg ik niet," zei ze werktuiglijk.

„Ik vroeg hem: heb je soms een oogje op Lauren en wil je haar via het kind inpalmen?"

„Hoe kón je zoiets zeggen?" viel ze uit.

„Hij dringt zich al vanaf het begin aan je op. Of jij je aan hem, dat kan ik niet precies inschatten. Hij heeft eerder een vriendin van mij zo beïnvloed dat ze mij liet zitten."

„Hij was er als jij er niet was, zoals bij de geboorte van Boy."

„Ja, dat heb ik nu al vaker moeten horen. Over inbreuk op je privacy gesproken!"

Ze staarde hem aan. „Er was niemand anders, Raoul, dat weet je. Zonder hem had ik het misschien niet gered, en Boy zeker niet." Hij opende zijn mond om iets te zeggen, maar sloot deze weer toen ze waarschuwend haar hand ophief. „Ik weet wat je wilt zeggen en ik wil het niet horen."

Raoul nam haar zwijgend op. Haar groene ogen schitterden, het bijna zwarte haar hing tot op haar schouders. Het was natuurlijk niet vreemd dat Stefan van haar onder de indruk was, bedacht hij. „Lauren, waarom beginnen we niet opnieuw? We horen toch bij elkaar," zei hij plotseling.

Ik heb van je gehouden, beaamde Lauren in gedachten. Zoveel dat ik alles voor je opgaf. En nu? Ik weet het niet. Maar toch, een leven zonder Raoul... Waar moest ze heen met Boy? Mogelijk zou ze tijdelijk bij haar moeder kunnen wonen, maar ze zou toch werk moeten zoeken. Ze was er niet eens zeker van of Agnes voor Boy zou willen zorgen. Ze wist ook niet of men een dergelijk zwaar gehandicapt kind in een kinderdagverblijf accepteerde. Ze zou hopeloos in de problemen komen als ze Raoul verliet. Maar was dat een reden om bij hem te blijven?

Ze keek hem aan, zijn intens blauwe ogen waren nog steeds op haar gericht. „We moeten onszelf nog een kans geven," zei hij.

„Je hebt gelijk," beaamde ze. Had ze niet vaak opgemerkt dat in haar ogen veel mensen hun relatie al te gemakkelijk verbraken, omdat de verliefdheid over was bijvoorbeeld? Ze had dat in stilte veroordeeld, gedacht dat mensen meer moeite voor elkaar moesten doen. Alles in aanmerking genomen, was het het waard om het nog eens samen te proberen.

## 9

Enkele maanden leefden ze in redelijke harmonie. Raoul was weer bij haar komen slapen en Lauren slikte nauwgezet de anticonceptiepil. Niet alleen om Raoul, maar zelf zou ze er ook niet aan moeten denken om weer zwanger te zijn.

Boy was die zomer vaak ziek en in zijn ontwikkeling was nauwelijks enige vooruitgang aan te wijzen. Hij werd alleen zwaarder, zodat het steeds moeilijker werd hem op te tillen en in bad te doen.

Toen kwam Raoul met het voorstel naar Nederland te gaan. Hij moest er zijn voor zijn werk, maar het was voor haar ook goed eens ergens anders te zijn. Hij regelde een vakantiehuisje in een luxe park en stelde voor haar moeder ook uit te nodigen. Hoewel Lauren erg tegen de reis met Boy opzag, stemde ze toch toe. Raoul had wel gelijk, ze kwam nergens. Agnes wilde graag mee en stelde direct voor dat zij af en toe zou oppassen, zodat ze ook eens samen weg konden gaan.

Toen ze er waren, realiseerde Lauren zich dat ze wel heel dicht bij de plaats waren waar ze indertijd haar dochter had achtergelaten. Zou Raoul daar ook aan denken, of was dat misschien de reden dat hij dit park had gekozen?

Het weer hield zich die week vrij goed. Ze bezochten enkele tuinen en musea, gingen 's avonds naar een theater en maakten een fietstocht. Agnes bleef thuis bij Boy, maar zei steeds dat geen bezwaar te vinden.

De voorlaatste dag maakten ze opnieuw een fietstocht. Toen ze een eind op weg waren, stelde Raoul voor om even te stoppen en op de kaart te kijken. Ze zaten op een bank en toen Raouls vinger de tocht op papier volgde, kreeg ze een bang voorgevoel. „Hier in de buurt heb je toch onze dochter ondergebracht?" zei hij luchtig.

Maar Lauren liet zich niet voor de gek houden. „Wat wil je, Raoul?" vroeg ze gespannen.

„Gewoon, een kijkje nemen. Niemand kent ons daar."

„Maar stel dat we haar zien…"

„Daar hoop ik inderdaad op."

„Ik weet niet of ik dat aankan."

„We hoeven ons toch niet gelijk bekend te maken?"

„Raoul, dat kunnen we die mensen niet aandoen."

„Het is niet verboden daar rond te kijken. Ik weet van Agnes dat ze een camping hebben. Ze zullen er heus niet van opkijken als er een paar fietsers langskomen."

Lauren begreep dat ze er niet onderuit kon. Natuurlijk kon ze weigeren, maar dan zou hij alleen gaan en dan was de kans groot dat hij zich bekend zou maken. Dus boog ze zich over de kaart en wees waar ze de boerderij vermoedde. „Nog zo'n drie kwartier fietsen," schatte Raoul. Lauren verwachtte min of meer dat hij dat toch te ver zou vinden. In Frankrijk fietste hij immers nooit. Maar hij zei er niets over en hieruit begreep ze dat niets hem van zijn voornemen zou afbrengen.

Hoe dichter ze bij hun doel kwamen, hoe nerveuzer Lauren werd. Het laatste stuk, een tweebaansweg, herinnerde ze zich nog goed. Ze zag zich weer in de auto met Roseline in het reiswiegje.

„Laten we stoppen," zei ze toen het hek van de boerderij in zicht kwam. Ze wist nog hoe de bomen hadden gekreund in de wind en hoe ze de mand onder de heg had verstopt. Het was of ze nog de bijna lichamelijke pijn voelde toen ze was weggelopen en haar dochter was begonnen te huilen. Toen was ze achter een boom blijven staan, in zichzelf kreunend: „O God, ik kan dit niet. Zorg toch voor haar." Ze had de fietser zien aankomen, voorovergebogen tegen de wind. Ze was doodstil blijven staan en had gezien dat de man afstapte en even later met de mand op zijn arm verder liep.

Ze had zich later weleens afgevraagd wat ze gedaan zou hebben als de man was doorgereden. Zou ze met de gedachte hebben kunnen leven dat haar baby daar misschien de hele nacht zou liggen? Ze vertelde zichzelf altijd van niet, maar zeker zou ze daar nooit van zijn. Ze was niet meer hetzelfde meisje als toen. Raoul was destijds het belangrijkste in haar leven.

Toen ze had gezien dat de man haar dochter meenam, was ze teruggelopen naar de auto, terwijl de tranen over haar gezicht stroomden. Het was best mogelijk dat de man haar auto had zien staan, hoewel ze die wat verder op de weg had geparkeerd. En hij was van de andere kant gekomen. Maar toch, wat een risico had ze genomen. Voor haar kind, maar ook voor haarzelf. Ze had wel in de gevangenis terecht kunnen komen. Waarom had ze eigenlijk geaccepteerd dat Raoul alles aan haar overliet?

„Ben je uitgedacht?" klonk het plotseling naast haar.

„Nee. Ik raak hier nooit over uitgedacht."

„Laten we eens gaan kijken," stelde hij voor.

Ze fietsten het laatste stukje en stapten pas af vlak bij het woonhuis.

Voor ze hadden aangebeld kwam er een vrouw naar buiten. „Ja?" zei ze, niet al te toeschietelijk.

„We komen voor de camping," zei Raoul vlot.

131

„Dan moet u het andere hek hebben. U kunt ook omlopen langs de schuur, dan komt u er ook. Mijn man is daar bezig."

„Gaat hij over de camping?" vroeg Raoul, die zich blijkbaar niet wilde laten wegsturen.

„Min of meer." Het klonk nog steeds onwillig.

Lauren keek om zich heen en nam de omgeving in zich op. „U woont hier mooi. Een fijn plekje, ook voor kinderen. Hebt u kinderen?"

De vrouw keek haar achterdochtig aan, voor ze zei: „Ik heb twee kinderen."

Op dat moment kwam een klein meisje om de hoek van het huis. Lauren kreeg een schok en hield haar adem in. Ze zag Raoul eveneens staren en begreep dat zij een vreemde indruk moesten maken. „Is dat uw dochter?" Ze hoorde zelf dat haar stem beefde. De vrouw knikte, terwijl ze het kind bij de hand pakte.

„Wat een mooi kind. Hoe heet ze?" Raouls stem klonk vreemd.

„Ik ben Rosy," zei het meisje. Ze keek Raoul recht aan en deze zag haar groene ogen. Dezelfde kleur ogen als de vrouw naast hem. De vrouw die de moeder was van dit kind.

„Als u mijn man wilt spreken, moet u daar zijn," zei de vrouw, terwijl ze een armgebaar maakte. „Ik heb meer te doen." Waarop ze naar binnen ging en het kind min of meer met zich meetrok. Het meisje keek nog een keer om en lachte.

Lauren draaide haar fiets en stapte op. „Lieve help, wat heb ik gedaan?" fluisterde ze. Raoul kwam naast haar fietsen, maar zweeg tot ze weer op de weg waren. Geen van beiden maakte aanstalten om naar de camping te gaan.

„Dit is te erg," zei Raoul. „Het is jouw dochter, geen sterveling die daaraan zal twijfelen."

„Ik hoop maar dat het haar niet is opgevallen," antwoordde Lauren.

„Waarom niet? Zij heeft óns kind, Lauren."

„Ja. Maar haar treft geen schuld. Ik heb dat kind zelf bij haar achtergelaten. We moeten dankbaar zijn dat ze zo goed is verzorgd."

„Nou ja, we zouden hun een vergoeding kunnen geven voor de afgelopen jaren."

„Zo gaat dat niet. Misschien hebben ze haar geadopteerd en dan is zij nu hun dochter. Pas als Roseline volwassen is, zal ze zelf kunnen kiezen. Zo is de wet."

„Dat zou ik kunnen navragen. Ik geloof niet dat het mogelijk is een vondeling te adopteren."

„We kunnen haar niet uit haar vertrouwde omgeving weghalen. Voor Rosy zijn dit haar ouders."

„Wil je haar zo niet noemen! Wij hebben haar een prachtige naam gegeven en zij maken er iets goedkoops van."

Lauren ging hier niet op in. Raoul was woedend en ook heel erg uit zijn doen. Roseline was ook zijn dochter. Hij zou zich ongetwijfeld herinneren hoe hij haar indertijd onder druk had gezet. En nu dacht hij dat hij dit alles zomaar even ongedaan kon maken.

„We kunnen dit niet zomaar op zijn beloop laten," zei hij.

„We hebben onze rechten verspeeld," meende Lauren.

„Ik begrijp jou niet. Thuis hebben we dat... Boy, en je bent hele dagen met hem bezig zonder enig resultaat. En dit mooie kind laat je zomaar los?"

Lauren beet op haar lip. „Dat is niet helemaal juist, Raoul. Het heeft mij nooit losgelaten. Maar ik wil die mensen hun kind niet afnemen."

Raoul zweeg. Lauren wist dat hij er niets van begreep. Ze snapte zichzelf nauwelijks. Natuurlijk wilde ze haar dochter graag bij zich hebben, maar was het wel verantwoord een kind van die leeftijd zomaar te verplaatsen, nog afgezien van het feit of dit mogelijk zou zijn? Moest ze dan tegen het meisje zeggen: „Ik ben je mama?" Was dat in het belang van Roseline?

Het zou anders zijn als Rosy in een kindertehuis woonde en hevig verlangde naar een normaal gezinsleven. Zelfs als het mogelijk was het kind in huis te nemen, dan zou het meisje toch nooit de vrouw vergeten die nu al bijna vier jaar haar moeder was. Zijzelf had indertijd een grote fout gemaakt en ze zou de gevolgen moeten dragen. Ze kon Raoul nu wel voor de voeten gooien dat alles zijn schuld was, maar wat schoot ze daarmee op? Hij kon dat zelf ook wel bedenken.

Toen ze bij de bungalow kwamen, troffen ze Agnes hevig geëmotioneerd aan. Ze had Boy op schoot. „Ik durf hem niet meer alleen te laten. Ik dacht dat hij doodging," was het eerste wat ze zei.

„O, had hij het weer," reageerde Raoul tamelijk laconiek.

Agnes vertelde daarop dat ze Boy schijnbaar levenloos had aangetroffen, maar dat hij was gaan hoesten toen ze hem oppakte. „Hij heeft dat vaker," zei Lauren bezorgd.

„Dat loopt een keer verkeerd af," voorspelde Agnes somber.

„We hebben onze dochter gezien," zei Raoul, die

134

het onderwerp Boy duidelijk niet interessant vond. Agnes bleef hem zwijgend aankijken. „Zij is een leuk meisje van vier jaar en ze noemen haar Rosy," zei Raoul, alsof hij persoonsgegevens voor de burgerlijke stand opdreunde.

„Ik heb haar ook gezien," zei Agnes. „Ik geloof dat ze daar veel van haar houden. De moeder leek me zelfs overbezorgd."

„Mij leek ze eerder vreselijk dominant. Ze weet natuurlijk drommels goed dat ze niet eerlijk aan dat kind is gekomen."

Agnes reikte Boy over aan Lauren, die zijn flesje had klaargemaakt. „Je draait de zaak om," zei Agnes dan tegen Raoul. „Je zou die vrouw dankbaar moeten zijn."

Raoul zweeg. Hij mokt als een klein kind, dacht Agnes geërgerd. Terwijl hijzelf toch degene was die Lauren zover had gekregen dat ze haar kind achterliet. Maar hij werd blijkbaar niet geplaagd door enig zelfverwijt. Ze keek naar haar dochter, die Boy zachtjes heen en weer wiegde. Lauren was veranderd. Ze zou zich nooit meer zo door een man laten beïnvloeden, dat wist Agnes wel zeker.

Teresa was de hele morgen zo onrustig dat Rosy haar af en toe verbaasd aankeek. Het meisje was stiller dan gewoonlijk. Terwijl ze met een barbiepop speelde, volgde ze haar moeder met haar ogen. Misschien voelde ze dat er gevaar in de lucht hing, dacht Teresa.

Zo gauw er mensen waren die naar haar kinderen vroegen, brak het zweet haar uit. Terwijl het toch een normale vraag was. Maar niet op deze manier, zo plompverloren. Daarbij hadden ze Rosy zo intens opgenomen. En die vrouw... ze kon wel familie van het kind zijn. Thijs zou wel weer zeggen dat ze spoken zag, maar Teresa was al die jaren bang geweest dat iemand Rosy weer van hen zou afnemen. Ooit zou immers alles uitkomen.

Ze hadden het meisje nooit officieel kunnen adopteren. Als Rosy volwassen werd en trouwde, dan kwam toch boven water dat zij niet echt haar ouders waren. Thijs had gezegd dat ze dit alles voor moest zijn door het meisje tijdig in te lichten. Ze kon daar naar haar gevoel echter nog jaren mee wachten. En als het niet echt nodig was, vertelde ze het nooit.

Ze ving de aandachtige blik op van Rosy. Ja, die vrouw had dezelfde groene ogen, wist ze ineens zeker. „Jij zult altijd bij mama blijven, beloof je dat?" zei ze plotseling.

Het kind knikte ijverig. Ze was deze vraag van haar moeder gewend. En natuurlijk meende ze het oprecht. Het was alleen twijfelachtig of ze over vijftien jaar nog zo volmondig 'ja' zou zeggen.

Toen Thijs binnenkwam viel hem de zwijgzaamheid van zijn vrouw onmiddellijk op. Het korte: handen wassen, tegen Martijn was het enige wat ze zei. Thijs merkte dat zijn zoon de stoel wat dichter bij die van hem schoof. Waarom zag Teresa dit kind nooit echt? Martijn was een prachtjongen met een lief karakter. Terwijl Rosy alle kenmerken vertoonde van een verwend, egoïstisch krengetje.

„Er kwamen mensen voor de camping. Ik heb hen naar jou gestuurd," zei Teresa halverwege de maaltijd.

„Ik heb niemand gezien."

„Nee, dat vreesde ik al. Ik heb het dus goed aangevoeld. Ze kwamen voor Rosy."

Beide kinderen keken tegelijk op. Thijs zuchtte.

„Toe, Teresa, begin nou niet weer met die waandenk-beelden."

„Ik verbeeld het me niet. Waarom komen ze hier-heen, vragen naar de camping en vervolgens of ik kinderen heb?"

„Belangstelling..." zei Thijs schouderophalend.

„Toen ze Rosy zagen, konden ze geen woord meer uitbrengen. En die vrouw..." Teresa keek naar haar dochter die met haar eten speelde. „Ze had dezelfde groene ogen."

„Die mensen zullen er vast meer zijn."

„Maar het is toch vreemd dat ze helemaal niet op de camping zijn geweest?"

„Bij nader inzien zagen ze ervan af. Dat komt meer voor." En zeker als jij zo vijandig reageert, dacht Thijs erachteraan. Hij maakte zich soms zorgen over de toekomst. Als Teresa zo doorging, zou Rosy nooit enige vrijheid worden gegund. En dat kon alleen maar problemen geven.

Sinds kort ging het meisje naar school en Teresa bracht haar tot in de klas. Nu was dat nog niet zo erg, maar als het kind groter werd, zou ze daar zeker tegen in opstand komen. En zijn vrouw maakte zich op deze manier belachelijk. Aan de andere kant was Thijs geen type dat zich bij voorbaat zorgen maakte. Zaken liepen toch altijd anders dan voorzien. Hij wenste echter met heel zijn hart dat Teresa eens wat meer ontspannen leefde. Hij had echter de moed opgege-ven wat dat aanging.

„Wat zijn waandenkbeelden?" vroeg zijn zoon toen ze weer buiten waren.

„Tja. Je denkt dat iets waar is, terwijl dat absoluut niet zo is."

Martijn verwerkte dit even. „Dus mama dacht dat er

iemand voor Rosy kwam en dat was niet zo."

„Zo ongeveer," mompelde Thijs. Zijn zoon dacht na. Hij was ervan op de hoogte dat Rosy niet zijn echte zusje was. Maar zijn moeder had hem meermalen gewaarschuwd daar nooit over te praten.

Het was blijkbaar een geheim, dacht Martijn. Was mama bang dat iemand Rosy wilde weghalen? Maar wie zou haar willen hebben? Ze was gewoon een krengetje en ze moest altijd haar zin hebben, dacht Martijn. Zijn vader, hijzelf en vooral zijn moeder hielden toch wel van haar. Maar voor vreemden was dat niet zo vanzelfsprekend. Martijn was ervan overtuigd dat er niemand was die zijn zusje wilde hebben.

Toen ze eenmaal weer terug waren in Frankrijk ging Lauren eerst met Boy naar de dokter. Het kind had nog een keer een flauwte gehad en ze maakte zich grote zorgen.

De arts onderzocht het kind zorgvuldig. Hij vroeg haar nadat ze Boy had aangekleed nog even terug te komen in zijn spreekkamer. Met bange voorgevoelens zat Lauren tegenover hem. „Uw man had geen gelegenheid mee te komen?" veronderstelde de arts.

„Hij heeft het erg druk," zei Lauren, wat niet direct een antwoord was. En ook geen excuus, want Raoul had niet mee gewild. Ze wist niet of de dokter dit inmiddels begrepen had, maar ze besloot hem in elk geval niet wijzer te maken.

„Uw zoon is er slecht aan toe," zei de arts langzaam. „Hij moet geopereerd worden, maar het risico is nog te groot. We hopen dat een en ander er over een half-jaar wat gunstiger uitziet."

„Verwacht u dan een verbetering?" vroeg Lauren.

De dokter aarzelde, zei toen: „Er komt een moment dat wachten even onverantwoord is als ingrijpen. We zullen alleen nooit precies weten wanneer dat is."

„Eigenlijk leeft hij met een tijdbom," begreep Lauren.

De man knikte. „Zo kun je het wel stellen. En onder ons gezegd... ik had zeker niet verwacht dat hij zo ver zou komen. Het is onbegrijpelijk dat zo'n kleintje nog zo sterk is. Kom over een maand terug, dan bekijken we hem opnieuw."

In de gang legde Lauren haar zoon in de wandelwagen en zette deze in de ligstand. Er kwam een moeder met een jongetje aan de hand langs en het kind boog zich over de wandelwagen. „Wat is dat, mam? Is dat ook een kindje?"

„Natuurlijk. Dat zie je toch wel. Niet iedereen heeft zoveel praatjes als jij." De moeder pakte hem bij de hand. „Op deze leeftijd zijn ze zo nieuwsgierig," verontschuldigde ze zich tegenover Lauren.

„Hoe oud is hij?" vroeg Lauren.

„Ruim anderhalf." Waarop ze met een glimlach verder liep, duidelijk trots op haar kind. Ze had zich niet over de wandelwagen gebogen, natuurlijk had ze al van een afstand gezien dat hier iets grondig mis was. Lauren keek hen na. Het jongetje was evenoud als Boy. Hij stapte naast zijn moeder voort en kletste honderduit. Zo zou haar zoon nooit worden.

Ze liep het ziekenhuis uit, zette de bak van de wandelwagen met Boy erin even later op de achterbank. Waarom was haar dit overkomen? Het was niet voor het eerst dat zij zich dit afvroeg. Moest ze het zien als een soort straf van God, omdat ze haar dochter in de steek had gelaten? Maar dat geloofde ze niet echt. Het bleef zonder meer een groot raadsel waarom dergelijke kinderen werden geboren. De wereld is niet volmaakt, had een dominee eens gezegd. Je nam dat voor kennisgeving aan, maar het werd anders als je zo direct met het onvolmaakte werd geconfronteerd.

Eenmaal thuis legde ze Boy in zijn bedje en bleef bij hem tot hij in slaap was gevallen. Daarna stond ze geruime tijd voor het raam. Het was een heldere dag, heerlijk weer voor een strandwandeling. Waarom zou ze 't niet doen? Raoul kon haar niet verwijten dat ze het deed om Stefan te ontmoeten. Voorzover zij wist was zijn huis verkocht en was hij naar Nederland vertrokken. Ze had hem nooit gevraagd naar zijn adres in Nederland, dus het lag voor de hand dat ze hem niet meer zou zien.

Ze zei Fleur even later dat ze een wandeling ging maken, en vroeg haar of ze een keer bij Boy wilde gaan kijken. Het meisje knikte kort, maar het was duidelijk dat ze liever had geweigerd.

Even later liep Lauren langs de zee. De wind blies haar haren alle kanten uit en met een elastische band bond ze ze tot een staart. Niet flatteus, maar wat maakte het uit? Ze kon voor de rest van haar leven een joggingpak aantrekken, ze kwam toch nergens meer.

Waarom beklaagde ze zichzelf? Werd de zorg voor Boy haar toch te veel? Nee, dat was het niet. Maar het was wel ontmoedigend dat er geen enkele vooruitgang in zijn ontwikkeling geboekt werd. Ze wilde van hem houden, maar meestal voelde ze alleen maar een diep medelijden. En daar voelde ze zich dan weer schuldig over.

Ze merkte Stefan pas op toen hij vlak bij haar stilstond. „Loop je de schelpen te tellen?" vroeg hij plagend.

Verbaasd keek ze hem aan, hij was de laatste die ze

hier verwacht had. Ze zag een lange aantrekkelijke man, helemaal vrij van banden. Wat wist hij van de zorg voor een gehandicapt kind? Hij wilde geen kinderen, omdat hij bang was dat hij te snel zijn zelfbeheersing zou verliezen. Wat een waardeloos argument eigenlijk. Ze staarde hem in zijn bruine ogen.

„Ben je nog steeds boos op mij?" vroeg hij.

„Jij was boos op mij, omdat ik Raoul had gezegd dat jij soms driftig werd," herinnerde ze hem.

„Ik ben nog steeds van mening dat hij dat niet hoefde te weten. Maar goed, het is niet meer van belang. Mijn huis is verkocht en ik ga terug naar Nederland. Ik ben hier deze week om nog wat spullen in te pakken en om afscheid te nemen."

„En je boek?" vroeg ze.

„Dat komt over enkele maanden uit. Na de zomer ga ik weer een paar dagen per week voor de klas. Als ik niet hele dagen gebonden ben, zal het hopelijk beter gaan. En ik blijf uiteraard schrijven. Dat is ook een uitlaatklep." Hij lachte even en ze begreep dat hij niet boos meer was. „En hoe is het met jou? En met je zoon?"

„Met Boy gaat het niet goed. Ik heb de indruk dat hij achteruitgaat."

Hij bleef haar aankijken, en zei: „Ik wilde dat ik iets voor je doen kon."

Dat kun je, dacht ze. Neem me in je armen en zeg dat alles goed komt. Ze schrok zo van die gedachte dat ze enkele passen bij hem vandaan liep. „Je bent hier dus de hele week nog," zei ze zenuwachtig.

„Ja. We hoeven nog geen afscheid te nemen. Kom alsjeblieft nog een keer langs. Je zult begrijpen dat ik niet naar jou toe kom."

„Ik weet niet of ik dat wel doen kan," aarzelde ze.

„Wat is er verkeerd aan?" vroeg hij, haar strak aankijkend.

„Niets. Helemaal niets. Het is alleen... oké, ik probeer van de week nog wel een keer langs te komen."

„Ik zal naar je uitkijken," glimlachte hij. Toen ze wegliep, voelde ze dat hij haar nakeek. Flirtte hij met haar of was hij gewoon een aardige man met interesse in mensen? Dat laatste moest het wel zijn. Dat hij zich met schrijven bezighield, was daar ook een bewijs van.

„Hij slaapt nog steeds," zei Fleur toen ze thuiskwam. Ze liep gelijk naar boven. Hij sliep inderdaad en lag roerloos. Hij was waarschijnlijk moe van het gesjouw naar de dokter. Ze bleef nog even naar hem kijken en liep daarna weer naar beneden.

Ze ging met enkele tijdschriften in de serre zitten, maar van lezen kwam niets. Ze staarde naar buiten en dacht na over haar leven. Ze was nu bijna zesentwintig en de laatste jaren was er van alles gebeurd in haar leven. Ze vroeg zich nu echter af of er iets was wat haar echt gelukkig had gemaakt.

Natuurlijk was ze hevig verliefd geweest op Raoul. Toen leefde ze in een soort droomwereld. Zo zelfs dat ze alles voor hem opgaf, het land waar ze geboren was en zich thuisvoelde, haar werk, in het begin het contact met haar moeder en zelfs haar pasgeboren dochter.

Wat was er toch met haar aan de hand geweest? Het leek wel of Raoul haar in die tijd behekst had. Hier in deze mooie bungalow was ze slechts enkele weken echt gelukkig geweest. Daarna waren schuldgevoelens de boventoon gaan voeren. Ze had dan ook alle tijd gehad om na te denken. Pas toen ze opnieuw zwanger was, had ze zich weer een beetje blij ge-

voeld. Maar de blijdschap was snel de bodem inge-
slagen door Raouls reactie en haar angst dat het kind
niet goed zou zijn. Een angst die terecht bleek. En
nu...? De laatste tijd had ze de indruk dat Raoul
alleen maar op een goede gelegenheid wachtte om
haar te zeggen dat hij niet meer met haar verder
wilde. Ondanks alles hield ze van Raoul, al was ze
niet meer verliefd op hem. Ze wist ook haast zeker
dat hij opnieuw zou willen beginnen, zonder Boy
en met Rosy. Maar dat was ten enen male onmogelijk. Dat kon ze de verzorgers van Roseline niet aandoen.

Had ze in het begin niet vaak gebeden of God voor
haar kind wilde zorgen? Of Hij mensen wilde sturen
die van haar dochter gingen houden? Ze wist zeker
dat de vrouw bij wie Rosy nu was van het kind hield.
Ze was doodsbang haar kwijt te raken.

De avond verliep rustig. Boy sliep veel en dat gaf
Lauren een klein sprankje hoop dat zijn urenlange
huilbuien misschien tot het verleden behoorden.

Ze vertelde Raoul niets van haar ontmoeting met
Stefan, dat zou de sfeer alleen maar bederven. Raoul
praatte over het nieuwe project in Spanje. „We zouden daar een tijdje kunnen wonen. Dat is een heel
nieuwe uitdaging."

Lauren ging er niet op in. Ze zag zichzelf nog niet
in Spanje wonen, maar ze wilde niet negatief overkomen. Toen ze opstond om naar Boy te gaan kijken,
bood Raoul aan: „Laat mij dat maar doen. Je loopt al
de hele dag achter hem aan."

Lauren bleef dankbaar zitten. Als ze de zorg eens
een beetje konden verdelen, zou alles al een stuk
gemakkelijker zijn.

Raoul stond intussen bij het bedje en keek naar zijn

zoon zonder hem werkelijk te zien. Die dankbare blik van Lauren zat hem dwars.

Hij bood haar zo weinig zijn hulp aan. Hij boog zich over het kind. Hij was wel erg rustig. Of had hij weer zo'n soort flauwte? Was het niet zo dat hij hem dan uit bed moest halen en rechtop houden? Want als hij dat niet deed, kon het weleens verkeerd aflopen. Was het al niet te laat? Hij had het kind nog nooit opgepakt. Maar…

Plotseling liep hij snel de kamer uit en de trap af. Beneden wachtte hij enkele seconden. Hoe moest hij het Lauren vertellen? Wat kon hij zeggen? Hij duwde de deur open, ze draaide zich met een glimlach om en kwam half overeind. „Ik geloof niet dat het goed gaat met hem," zei hij zacht.

Lauren luisterde verder niet, maar vloog de trap op. Raoul volgde haar, keek in de deuropening toe en zag dat ze haar zoon beetpakte en tegen zich aan hield. Ze klopte hem op zijn rugje, liep met hem heen en weer. „Toe dan, toe dan," smeekte ze.

Raoul keek het even aan, en zei dan: „Lauren, het helpt niet meer…"

„Bel onmiddellijk de dokter," zei ze, op van de zenuwen. Raoul gebruikte de telefoon in de logeerkamer. Tot zijn opluchting was zijn eigen huisarts te bereiken. „Ik vrees dat Boy een flauwte heeft gehad die hem fataal is geworden," zei Raoul.

„Ik kom," reageerde de dokter direct.

Raoul ging weer naar boven waar Lauren nog steeds met het kind heen en weer liep, terwijl de tranen haar over het gezicht stroomden. Raoul keek ongerust naar haar. Lauren moest toch zelf ook zien dat Boy niet meer reageerde. Of wilde ze het niet zien? „Leg hem maar in zijn bedje," zei hij zacht. Ineens kon hij het gesjouw met het kind niet meer aanzien. „Gun hem nu eindelijk rust," voegde hij er nog aan toe.

Ze draaide zich heftig naar hem om. „Wat heb je met hem gedaan? Waarom wilde je ineens naar boven? Heb je hem een handje geholpen om..." Raoul deinsde terug voor de blik in haar ogen. Maar ook Lauren schrok van wat ze gezegd had. Beiden wisten dat er op dat moment iets onherstelbaar werd beschadigd tussen hen.

De dokter was er snel en kon alleen maar bevestigen dat Boy was overleden. „Ik was er al bang voor dat dit een keer zou gebeuren," zei hij. „Hij heeft het nog lang volgehouden. Maar ook na de operatie was hij een kasplantje gebleven."

Lauren reageerde niet. Ze had een stoel bijgetrokken en staarde onafgebroken naar het kind.

„Willen jullie hem hier houden?" vroeg de dokter. „Dan stuur ik iemand om hem te verzorgen. Hij kan dan nog enkele dagen in zijn bedje liggen."

Lauren bleef apathisch zitten en de arts regelde alles met Raoul. „Wil je een slaapmiddel?" vroeg de dokter bij het weggaan aan Lauren. Ze schudde het hoofd.

„Kom mee naar beneden," pleitte Raoul toen de zuster gekomen was om Boy te verzorgen. Tot zijn opluchting deed ze wat hij zei, zat even later roerloos tegenover hem.

„Weet je, Lauren..." begon hij.

„Wáág het niet... waag het niet te zeggen dat het zo beter is," viel ze hem scherp in de rede.

Raoul zweeg. Bij wijze van troost had hij inderdaad iets dergelijks willen zeggen.

„Je hebt níets gedaan! Je hebt hem nooit willen vasthouden. En nu het zijn leven kon redden wilde je

het nog niet. Hoe kan ik je dat ooit vergeven?"
„Het had niets uitgemaakt. En over vergeven gesproken... jij denkt dat ik het kind... ons kind, heb geholpen om..."
Lauren staarde hem aan, herinnerde zich vaag dat ze iets dergelijks had gezegd. „Sorry," mompelde ze. „En daarmee is het afgedaan? Sorry! Lauren..."
Op dat moment kwam de zuster naar beneden. „Alles is klaar," zei ze vriendelijk.
Lauren haastte zich de trap op. „U kunt ook gaan kijken. Ik wacht wel even," zei de vrouw.
„Laat haar maar even alleen," zei Raoul, die deze confrontatie het liefst niet wilde aangaan. Maar hij begreep evengoed dat hij geen keus had.
In de deuropening bleef hij staan. Lauren zat weer op de stoel naast het bedje, terwijl de tranen haar over het gezicht stroomden. „Kom kijken, hij is zo mooi," zei ze.
Raoul deed enkele passen in haar richting, niet voorbereid op wat hij zag. Want Boy was inderdaad mooi. Het gezichtje was ontspannen en het altijd geopende mondje was nu gesloten. Er zweefde een vaag lachje op zijn gezichtje. „Zo had hij kunnen zijn," begreep Raoul ontroerd.
„God heeft hem aangeraakt, hij is genezen," fluisterde Lauren. Hij legde even zijn hand op haar schouder, maar ze schoof van hem weg.
„Je moet nu naar bed gaan," zei hij zacht.
„En hem alleen laten? Hoe kun je dat denken?"
„Je houdt dit geen vier dagen en nachten vol. Je moet aan jezelf denken," drong hij aan.
„O ja? Voor wie? Straks is hij voorgoed weg, besef je dat?"
Raoul knikte. „Ik weet dat het moeilijk is, maar..."

„O nee, dat weet je helemaal niet. Waarom geef je niet toe dat het voor jou een opluchting is?"

„Hou op, Lauren. Niet hier," zei hij scherp.

Lauren zweeg. Hij had gelijk. Ze moesten geen ruziemaken in het bijzijn van hun zoon. Dat was al te vaak gebeurd. Ze zag het ineens duidelijk: vanaf de eerste dag had Boy tussen hen in gestaan. En nu hij was overleden, zou het er niet beter op worden.

## ❋ 10 ❋

Op Raouls aandringen ging Lauren toch op bed liggen. Slapen deed ze echter niet, af en toe stond ze op en liep het kamertje van Boy binnen.

De volgende dagen gingen als in een droom voorbij. Er moest van alles gebeuren. Er kwamen mensen langs om de begrafenis te regelen. En ook enkele vrienden en collega's van Raoul.

Op een avond zei ze: „Hadden we hem maar laten dopen."

Raoul fronste de wenkbrauwen. „Had dat iets uitgemaakt?"

„Voor mij wel. Het zou betekenen dat wij hem aan God hadden toevertrouwd."

„Dat doen we nu ook. Denk je werkelijk dat dit voor God van belang is? Je zegt altijd dat Hij liefde is."

Lauren zweeg. Ze wist ook wel dat Raoul gelijk had. Ze was echter voortdurend bezig Raoul ergens de schuld van te geven.

„Ik ga naar Stefan," zei ze even later. „Na wat er tussen jullie gebeurd is, zal hij zelf het initiatief niet nemen. Misschien weet hij het zelfs nog niet."

„En wat dan nog? Het is zijn zaak niet."

„Hij was er vanaf het begin bij betrokken. Enkele dagen geleden vroeg hij nog naar Boy."

„Nou goed, als jij denkt dat je dat moet doen, dan moet je maar gaan."

Raoul was deze dagen vol begrip, dat moest ze toegeven. En het was verkeerd van haar dat voortdurend de gedachte bij haar opkwam dat hij het zich nu kon permitteren mild te zijn. Nog even volhouden, en dan was alles achter de rug. Dan was Boy voorgoed weg en kon Raoul zijn oude leventje weer oppakken. Zijn

148

leven waarin hij nergens door werd belemmerd.

Even later liep ze op het strand. Gedachten kwamen en gingen. Gedachten aan haar zoon met wie ze nooit echt contact had kunnen krijgen. Haar dochter met wie ze alle contact had verbroken. Haar moeder die de volgende dag zou komen. Waarschijnlijk zou zij ook van mening zijn dat het zo beter was.

Ze zag Stefan al van ver aankomen. Remy stoof voor hem uit. Lauren zakte neer in het zand en duwde haar gezicht tegen de zachte vacht van Remy. Ze huilde zonder ophouden en de hond bleef roerloos zitten. Zo vond Stefan haar.

„Meisje toch," zei hij zacht. Hij legde zijn arm om haar heen en ze duwde haar hoofd tegen zijn schouder.

„Mijn jongetje, mijn arme jongetje," huilde ze. Hij streelde haar over het hoofd en even ging het door haar heen dat ze zich door Raoul niet had laten troosten. Ze had het niet gewild, omdat ze steeds het gevoel bleef houden dat hij achteloos had gehandeld. En datgene wat ze hem had verweten bleef tussen hen staan. Daarvoor was 'sorry' niet genoeg.

„Het is nog onverwacht snel gegaan?" vroeg Stefan naast haar.

„Ja. Ik heb Raoul de schuld gegeven."

Hij liet haar los en keek haar aan. „Dat meen je niet?"

Ze knikte. „Raoul wist dat als Boy zo'n flauwte had, hij hem onmiddellijk moest oppakken. Maar hij deed het niet. Hij heeft zijn zoon nooit willen vasthouden. Hij liet hem liggen."

„Zegt de dokter dat het Boys leven had kunnen redden als Raoul hem rechtop had gehouden?"

„Het is ons een paar keer gelukt," zei ze mat.

„Ja, maar Lauren, je weet toch ook wel dat zoiets niet eindeloos kan doorgaan. Je moet hebben geweten dat het een keer mis zou gaan. Je kunt Raoul niet zo'n zware beschuldiging in de schoenen schuiven."

„Ik weet toch zeker dat hij opgelucht is," hield ze vol.

„Hoe kan hij opgelucht zijn als hij jou ziet? Kom." Hij pakte haar bij de hand. „Ga naar hem toe en praat met hem. Hij is nu ook vreselijk ongelukkig."

Ze keek hem aan. „Ik meende dat jij aan mijn kant stond," zei ze.

„In sommige opzichten zeker. Maar dit is niet goed, Lauren. Je kunt Raoul niet zo behandelen."

Zwijgend liep ze naast hem voort, terug naar huis.

„Wil je Boy nog zien?" vroeg ze even later.

„Als Raoul het goedvindt." Niettemin liep hij met haar mee de trap op.

Raoul stond op het terras en negeerde Stefans uitgestoken hand. „Vind je het goed dat ik hem nog even zie?" vroeg Stefan.

„Natuurlijk. Je was bij zijn geboorte, het is niet meer dan normaal dat je nu ook afscheid neemt."

Even later stond Stefan met Lauren bij het bedje. Na een moment zei hij: „Dat wordt nu bedoeld als men zegt: het is beter zo. Je kunt zien dat hij rust heeft. Hij is eindelijk vrij."

„Maar ik ben hem kwijt," snikte ze.

Hij zweeg en ze was blij dat hij niet met goedkope troostwoorden kwam. Hij draaide zich om naar Raoul die in de deuropening stond. „Als jij het goedvindt, kom ik naar de begrafenis."

Raoul knikte. „Een begrafenis is een van de weinige gelegenheden waar je niemand kunt wegsturen," zei hij koel.

Het was een korte, eenvoudige plechtigheid. Lauren wilde er graag een predikant bij en hoewel Raoul mopperde dat hij niemand kende en nooit in de kerk kwam, kreeg hij toch voor elkaar dat de ziekenhuis-predikant enkele woorden zei en een gebed uitsprak. Dit alles gebeurde in de kleine kapel bij het ziekenhuis.

Ze waren maar met een klein groepje. Behalve zijzelf en Raoul, waren er haar moeder, Stefan en Fleur. Lauren huilde niet; ze had al zoveel tranen vergoten dat ze het gevoel had dat ze volkomen leeg was vanbinnen.

Na de begrafenis reden ze in één auto naar de bungalow, waar Stefan afscheid nam en lopend verder ging. Lauren keek hem even na. „Hij is er steeds zo bij betrokken geweest," mompelde ze.

„Voorzover dat mogelijk is als je twee kilometer verderop woont. Ik vraag me trouwens af of hij niet meer bij jou betrokken was dan bij Boy."

„Ik vond dat de dominee het mooi zei. Boy is nu bevrijd uit zijn onvolmaakte lichaampje," zei Agnes, die duidelijk een woordenwisseling wilde voorkomen.

Binnen keek Lauren rond of ze de kamer voor het eerst zag. Dit zonnige plekje met uitzicht op zee, ze had het hier in het begin volmaakt gevonden. Ze vroeg zich echter af of ze zich hier ooit nog thuis zou voelen.

Agnes bleef de rest van die week. Ze deed een en ander in het huishouden en kookte af en toe. Lauren had gezegd dat ze Fleur niet om zich heen kon verdragen en Raoul had haar een week vrijgegeven. Lauren zat veel boven. Ze hield zich bezig met het opruimen van alle kinderkleertjes. Raoul had gezegd dat ze daar niet zo'n haast mee hoefde te maken, maar Lauren leek niet te stuiten.

Het was een kwelling toen ze alles door haar handen liet gaan. Agnes kwam af en toe bij haar kijken, en zei een keer: „Waarom doe je alles weg? Je bent immers nog jong. Ik weet wel dat dit niet het moment is om daarover te praten, maar misschien krijg je nog weer een kind."

„Ik denk het niet," antwoordde Lauren kalm. „En al zou dat wel zo zijn, deze kleertjes zijn van Boy, die laat ik door niemand anders dragen."

De eerste week kwam Lauren niet eens buiten en ze zei alleen iets als haar wat gevraagd werd. Ze deed of Raoul niet bestond en op een morgen, toen ze bezig was het kinderledikantje uit elkaar te halen, kwam Agnes bij haar zitten. „We moeten eens praten, Lauren. Ik maak me zorgen om jou."

„Waarom? Verwacht je dat ik vrolijk aan het leven deelneem?"

„Dat bedoel ik niet. Natuurlijk heb je verdriet. Maar Raoul is er ook nog. Je laat hem in de kou staan."

„Bedoel je dat ik Raoul zou moeten troosten?" vroeg ze ongelovig.

„Het was ook zijn zoon," antwoordde Agnes geduldig.

„O moeder, hij heeft nooit naar hem omgekeken."

„Jullie moeten nu samen door. Op deze manier groei je steeds verder uit elkaar."

Lauren gaf niet direct antwoord. Haar moeder wist niet dat ze regelmatig met de gedachte speelde bij Raoul weg te gaan. Nu Boy er niet meer was, zouden ze in de ogen van haar moeder opnieuw kunnen beginnen. Maar er was te veel gebeurd. In feite was het al verkeerd gegaan toen ze Roseline achterliet, al had ze dat toen niet beseft. Eigenlijk wilde ze hier niet blijven, ze voelde zich hier niet meer thuis.

„Ik zal met Raoul praten," beloofde ze haar moeder. Agnes leek voor het moment tevredengesteld, maar ze wist dan ook niet wat de strekking van het gesprek zou zijn.

Diezelfde middag zei Raoul dat Stefan naar Nederland zou vertrekken en dat ze de groeten moest hebben. Even ontwaakte Lauren uit haar apathie. „Dan ga ik hem nog even gedag zeggen."

„Lijkt me niet nodig," weersprak Raoul.

„De dingen die jij van belang vindt en de zaken die ik nodig vind, zijn totaal verschillend," antwoordde ze koel. „Ik vind het niet meer dan beleefd dat ik hem een goede reis ga wensen."

„Goed, je gaat je gang maar." Raoul leek zich erbij neer te leggen, maar ze merkte dat hij geïrriteerd was.

Toen ze wat later haar jas aantrok, volgde Agnes haar naar buiten. „Zou je dat nu wel doen?"

„O mam, er is niets verkeerds aan. Lieve help, mam, waar denk je dat ik mee bezig ben? Ik heb veel steun van Stefan gekregen en daarom wil ik hem niet zonder een woord van afscheid laten gaan."

Agnes keek haar twijfelend aan, maar zei niets meer.

Even later liep Lauren de trap af. Over het strand was nog altijd de kortste weg. Het bordje 'Verkocht' stond er nog steeds. Het huis leek uitgestorven en even kreeg ze het bange vermoeden dat Stefan al was vertrokken. Toen zag ze hem bezig met het inladen van zijn auto die naast het huis was geparkeerd. Remy lag op de stoep en ze glimlachte even omdat Stefan steeds over het dier heen moest stappen en dat ook zonder meer deed. De hond was blijkbaar vast van plan goed in de gaten te houden wat er gebeurde.

Stefan leek verbaasd haar te zien en Lauren wist even niet goed raad met haar houding. „Ik kwam Remy gedag zeggen," zei ze toen maar.

„Alleen Remy?"

„Jou kan ik dan niet overslaan."

Hij glimlachte. „Kom even binnen. Er staan nog twee stoelen."

Ze volgde hem, maar voelde zich even later toch ongemakkelijk en kwetsbaar in de vrijwel lege kamer. „Wil je iets drinken?" vroeg hij. Ze knikte, eigenlijk alleen maar omdat hij dan even weg zou zijn en ze de indringende blik uit zijn bruine ogen niet zou zien.

„Hoe gaat het met je?" vroeg hij toen hij terugkwam.

Ze haalde haar schouders op. „Wat verwacht je dat ik zeg?"

„De waarheid. Maar als je beweert dat het uitstekend gaat, zal ik je niet geloven."

Zacht zei ze: „Het gaat niet goed. Ik voel me zo ongelukkig. Ik mis Boy. Hij was niet volmaakt, maar hij was wel mijn kind. Ik had graag nog wat langer voor hem willen zorgen."

„En Raoul?"

„Raoul?" Ze keek hem aan alsof ze zich afvroeg wie dat ook alweer was. „Hij werkt en leeft weer als voorheen. Hij mist Boy niet."

„Hij mist in elk geval wel zijn vrouw."

Lauren fronste. „Ik ben zijn vrouw niet."

„Let niet zo op kleinigheden. Goed, je bent niet met hem getrouwd. Maar toch ben je zijn vrouw."

Ze nam een slokje van haar drankje. „Ik wil bij hem weggaan," zei ze.

„Is dit wel het goede moment om daar een beslissing over te nemen? Nu je zo emotioneel bent, bedoel ik."

„Wil je mij ervan weerhouden bij Raoul weg te gaan?"

„Ik heb daar niets mee te maken. Wat ik zou willen, is dat je gelukkig bent."

„Dat word ik dus nooit meer." Ze zette haar glas neer en stond op. „Ik ga maar weer, dan kun jij verder met inpakken. Waar ga je eigenlijk heen?"

„Ik ga terug naar Nederland. Ik heb een appartement in Apeldoorn. Wil je mijn adres?"

„Ja," zei ze zonder aarzelen.

„Vandaaruit ga ik op zoek naar een echt huis," zei hij nog. Lauren herinnerde zich dat hij eens had gezegd dat hij ooit een huis met een tuin wilde, liefst wat afgelegen. Hij schreef het adres op een briefje en gaf haar dat. „Voor noodgevallen," zei hij met een knipoog.

„Wat is een noodgeval?"

„Dat zul je zelf moeten beslissen."

Ze stopte het papiertje zonder ernaar te kijken in haar jaszak. „Als ik terugkom in Nederland zouden we vrienden kunnen zijn," waagde ze.

„Denk je?" klonk het niet erg overtuigd. Ze ging er niet verder op in, maar stak haar hand uit. Hij kuste haar op de Franse manier met drie zoenen, en zag kans dit onpersoonlijk te doen overkomen.

Even later keek hij haar na. Hij mocht Lauren graag, meer dan goed voor hem was. Hij had het gevoel dat ze niet zou hebben tegengestribbeld als hij haar in zijn armen had genomen. Maar het zou niet eerlijk zijn. Ze was nu verdrietig en kwetsbaar en had behoefte aan troost. Bovendien, het zou tussen hen nooit iets kunnen worden. Hij wist wel zeker dat ze na

155

verloop van tijd weer aan een baby zou gaan denken, of misschien meer dan een. En hij was geen type voor kinderen. Dat kon hij geen enkele vrouw aandoen.

Hij had wel het gevoel dat hij pubers nu beter aankon dan een jaar geleden. Hij verloor niet meer zo snel zijn zelfbeheersing. Maar die tieners zag hij maar enkele uren per dag. Daarna kon hij weer naar huis. Eigen kinderen was een heel ander verhaal. Trouwens, waar dacht hij aan? Lauren hoorde nog steeds bij Raoul. Het zou vast weer goed komen tussen die twee.

Lauren was daar echter absoluut niet van overtuigd. Ze wist dat de afstandelijkheid tussen hen voor het grootste deel aan haar lag. Ze was gedeprimeerd en interesseerde zich niet echt voor hetgeen Raoul te vertellen had.

Hoewel hij duidelijk zijn best deed geduld met haar te hebben, kon ze toch merken dat haar houding hem begon te irriteren.

Toen de zomer overging in de herfst besloot ze op zijn voorstel in te gaan om enkele dagen per week op zijn kantoor te werken. Ze was blij af en toe thuis weg te kunnen, waar alleen Fleur was en de herinnering aan Boy. Want ondanks dat ze alle baby- en peuterspullen had opgeruimd, was haar zoon nooit uit haar gedachten. Soms schoot het door haar heen dat een nieuwe baby haar misschien zou helpen eroverheen te komen. Maar ze durfde er niet eens over te beginnen tegen Raoul. Want hoe hij ook zijn best deed om met haar mee te leven, hij voelde zich duidelijk van een last bevrijd. Ze probeerde begrip te hebben voor dat standpunt, maar ze had dat niet voor het feit dat hij hetzelfde van haar verwachtte.

Op een avond in november bleef Raoul in de kamer zitten en maakte de open haard aan. Hij schoof een stoel voor haar bij en Lauren voelde zich ineens een beetje gespannen. Ze had het gevoel dat er iets van haar werd verwacht waar ze niet aan toe was. Eigenlijk was ze nog nergens aan toe, dacht ze. Ze leefde voort of er tussen haar en de rest van de wereld een wand van glas was.

„Zou je terug willen naar Nederland?" vroeg hij tot haar verrassing.

„Heb je nu dan weer werk in Nederland?"

„Ik heb het niet over mezelf."

„Je bedoelt dat je wilt dat we uit elkaar gaan?" Haar stem klonk vlak, zonder enige emotie.

„In elk geval voor tijdelijk. We dobberen maar zo'n beetje voort. Er zit geen leven meer in onze relatie. Dat betekent niet dat ik niet meer van je hou. Maar het lijkt me voor ons beiden beter dat we even wat afstand nemen. Jij voelt je hier immers ook niet gelukkig."

Ze keek hem aan. Zo'n leuke vent, had een vriendin eens gezegd. Zijn intens blauwe ogen, Boys ogen, keken haar indringend aan. „Eigenlijk zijn we volkomen verkeerd begonnen," zei ze. Ze hief haar hand op toen hij iets wilde zeggen. „Ik wil zeker niet beweren dat het jouw schuld is. Ik was zo verliefd en ik dacht dat ik jou door een zwangerschap aan mij kon binden. Het ironische was dat ik jou alleen kon vasthouden door die zwangerschap of de gevolgen daarvan te laten verdwijnen. En dat deed ik; dat was mijn tweede fout."

„Ik zou zoiets nooit meer eisen," mompelde Raoul.

„Niet sinds je Boy hebt gezien. Maar je kunt er nooit zeker van zijn dat je gezonde kinderen krijgt. Ik maakte mijn derde fout toen ik weer zwanger werd zonder dat jij ervan wist."

„Als jij gewild had, hadden we na Boys dood opnieuw kunnen beginnen. Maar jij wilde niet meer, Lauren."

Ze zweeg. Raoul had gelijk. Nadat ze zoveel had opgeofferd, was ze nu tot de ontdekking gekomen dat Raoul niet degene was met wie ze verder wilde.

„Ik wil het contact niet verbreken. We hebben samen nog een dochter," zei hij.

„We moeten Roseline met rust laten, Raoul. In het belang van haarzelf. We mogen niet alleen aan onszelf denken. Dat kind is daar gelukkig."

„Dat zeg jij," mompelde hij.

„Ik zal mijn moeder bellen of ik voorlopig bij haar terechtkan," hakte Lauren toen de knoop door.

„Ik kan natuurlijk een appartement voor je regelen."

„Niet direct," zei ze, met de gedachte dat ze dan alle schepen achter zich verbrandde. „Heb je een ander?" vroeg ze.

„Dat is niet de reden dat ik je dit voorstel doe."

Dat was geen rechtstreeks antwoord, besefte ze. Maar het kon haar weinig schelen en ook daardoor besefte ze dat het wat haar betrof echt voorbij was.

De volgende dag begon Lauren al met de voorbereidingen voor haar vertrek. Behalve persoonlijke bezittingen en kleding was er weinig wat ze wilde meenemen. Het huis was al volledig ingericht toen zij hier vier jaar geleden kwam wonen. Tweeëntwintig jaar was ze toen geweest en verliefd! Zo verliefd! Het stemde haar weemoedig zich te realiseren dat daar niet meer van over was dan een vage genegenheid.

Raoul bracht haar naar Nederland. Hij zou dan gelijk proberen of hij een appartement voor haar kon regelen. „Wat dat aangaat hoef jij je geen zorgen te maken."

„Ik weet niet of ik dat wel kan aannemen."

„Je zult wel moeten. Zolang je geen werk hebt, heb je ook geen inkomen."

„Ik denk dat ik snel weer werk heb. Er is een groot tekort in de verzorgende beroepen."

„Wil je dat echt weer gaan doen?" vroeg Raoul ongelovig.

„Waarom niet? Ik was er best goed in."

„Dat neem ik zonder meer aan. Maar ik zou me kunnen voorstellen dat je nu wel genoeg gezorgd hebt. Administratief ben je ook goed."

Lauren dacht na. Het werk op kantoor bij Raoul was haar inderdaad prima bevallen. „Misschien moet ik nemen wat er is," zei ze.

„Jij vindt wel iets," zei hij met meer vertrouwen dan ze zelf voelde.

De rit verliep ontspannen. Lauren voelde zich beter dan lange tijd het geval was geweest. Raoul was vriendelijk en voorkomend. Hij zou misschien ooit een goede vriend kunnen zijn, dacht ze.

„Heb je eigenlijk ooit van me gehouden?" vroeg ze plotseling.

Hij keek even opzij. „Dat weet je best, Lauren. In feite heeft het mij geen blijvend geluk gebracht, maar ja, ik heb van je gehouden. Ik besef nu dat ik te zware eisen aan je heb gesteld. En er blijft een band, want we hebben samen een dochter."

Lauren beet op haar lip. „We hebben haar afgestaan. Beloof me dat je die mensen niet zult verontrusten."

„Ik moet nog eens over alles nadenken," zei hij met

159

een koppig trekje om zijn mond. „Ik kan het niet uitstaan dat mensen iets hebben wat van mij is. Mijn kind."

Lauren ging er niet op in. Ze kon natuurlijk voor de zoveelste keer herkauwen dat hij dat kind niet had gewild, maar wat schoot ze ermee op? „Als je de wet kent, dan weet je dat je onze dochter niet zomaar kunt opeisen," zei ze nog.

Ze vroeg zich af of Raoul nu ineens wel een kind wilde en wat de reden daarvan was. Of ging het alleen om het feit dat Rosy mooi was en hij haar niet aan een ander gunde? Misschien dacht hij er ook aan dat het zeer de vraag was of hij ooit nog weer vader zou worden. Ze zou zich kunnen voorstellen dat hij dat risico niet meer durfde te nemen.

Dat bracht haar weer bij Rosy en alsof hij haar gedachten raadde, zei Raoul ineens: „Wat voor mij het breekpunt was in onze relatie, was het feit dat jij mij ervan verdacht dat ik iets met Boy had uitgehaald. Toen begreep ik dat er bij zoveel wantrouwen van jouw kant geen basis meer was voor liefde tussen ons."

„Ik had dat toen niet moeten zeggen," gaf Lauren toe. „Ook niet moeten denken, trouwens. Maar je wilde hem immers nooit vasthouden."

„Ik zag dat het te laat was."

Lauren zei niets. Ze vreesde dat de vage twijfel of Raoul wel adequaat was opgetreden, zou blijven.

Raoul bracht Lauren naar haar moeder en dronk daar koffie. Daarna ging hij enkele collega's bezoeken om te informeren of er ergens een geschikt appartement vrij was. Achter in de middag zou hij Lauren dan weer komen halen om te kijken wat er mogelijk was.

160

„Het is dus toch misgegaan tussen jullie," zei Agnes toen hij was vertrokken.

„Er is te veel gebeurd," antwoordde Lauren met een zucht.

„Je geeft nu wel een luxe bestaan op voor een leven vol onzekerheid en geldzorgen."

„Moeder, ik raakte daar mezelf kwijt."

Agnes knikte. Was dat niet een gezegde van deze tijd? Op zoek naar jezelf. Je moet aan jezelf denken. Jezelf kwijtraken. Het ging in het leven steeds meer om jezelf. De ander was niet meer belangrijk.

## ❋ 11 ❋

Raoul vond een aardig appartement aan de rand van de stad. Hij stelde gelijk voor wat meubels aan te schaffen. Agnes had nog het een en ander en het gevolg was dat Lauren binnen een week was geïnstalleerd. Het was niet luxueus, maar de zaken die ze nodig had, waren voorhanden. Raoul wist ook een afspraak voor haar te regelen bij een bevriende makelaar. Mogelijk had die een baantje voor haar.

Toen Raoul uiteindelijk weer naar Frankrijk vertrok, was Lauren min of meer opgelucht. Ze had het gevoel of Raoul haar leven volledig in de hand wilde houden. Hij bedoelde het goed, maar met hem in de buurt kon ze niet zelfstandig zijn. Aan de andere kant was ze wel blij dat de meeste zaken waren geregeld. Ze had nog steeds weinig energie en kon nergens enig enthousiasme voor opbrengen.

Raoul bezocht ook zijn moeder, maar Lauren ging niet mee. Ze hoorde later dat de oude dame naar haar had gevraagd, 'naar dat meisje met die opvallende groene ogen'. „Daar viel ik het eerst op," zei Raoul met een glimlach. „Ze vond het jammer, maar ze had wel gedacht dat jij het met mij niet zou volhouden."

Lauren was blij dat ze zonder verwijten afscheid van elkaar namen. Natuurlijk was er ook een gevoel van spijt. Een aantal jaren van haar leven was zomaar voorbijgegleden. Jaren waarin de meest belangrijke dingen waren gebeurd. Er was niets van overgebleven dan schuldgevoelens en verdriet.

Ze zou moeten proberen opnieuw te beginnen. Maar ze was een vrouw met een verleden. Een verleden dat ze nooit meer van zich af kon schudden. Omdat er in Frankrijk een grafje was. En omdat er ergens een meisje rondliep van wie zij de moeder was.

Ze voelde zich niet echt thuis bij vrouwen van haar leeftijd. Zodoende leidde ze een tamelijk eenzaam bestaan. Door bemiddeling van Raoul kreeg ze het baantje op het makelaarskantoor. Hij liet regelmatig iets van zich horen en vroeg haar hoe het met haar was. Ze zei hem niet dat ze zich eenzaam voelde en van de ene dag in de andere leefde, zonder enig plezier. Ze voelde dat ze bezig was af te glijden in een depressie.

Toen, op een voorjaarsdag – ze had juist besloten haar winterjas op te bergen en keek de zakken na – vond ze het briefje met het adres van Stefan. Er stond ook een telefoonnummer bij. Maar ineens besloot ze zelf naar hem toe te gaan.

Ze ging op een zaterdag met de trein. Raoul had aangeboden een auto voor haar te kopen, maar ze had geweigerd. Blijkbaar voelde hij zich nog steeds verantwoordelijk voor haar.

Toen ze in Apeldoorn uitstapte, besloot ze eerst koffie te drinken en uit te zoeken waar ze precies zijn moest. Het bleek een vrij nieuwe wijk buiten de stad. Ze nam eerst de bus en ging het laatste stuk lopen. Stel dat hij niet thuis was? Dan zou ze een briefje in zijn brievenbus doen, had ze besloten. Het was een tamelijk groene wijk waarin ze terechtkwam. Geen hoge flats, maar twee verdiepingen boven elkaar. Er was een kleine speeltuin met een zandbak en daar zag ze hem. Hij had twee kinderen bij zich en merkte haar in eerste instantie niet op.

Lauren ging aan de andere kant zitten waar enkele struiken wat beschutting boden. Ze kon nu niet naar hem toe gaan. Had Stefan kinderen? Ooit had hij gezegd dat hij geen kinderen wilde.

Deze twee leken haar zo'n vier en zes jaar. Ze had de indruk gekregen dat hij vrij man was, maar ze had hem er nooit specifiek naar gevraagd. Hij had gezegd dat enkele relaties waren stukgelopen, juist omdat hij geen kinderen wilde.

Toen ze een vrouw zag aankomen en de kinderen naar haar toe zag hollen, meende ze te begrijpen hoe de zaak in elkaar zat. Hij was natuurlijk gescheiden en had vandaag de zorg voor de kinderen.

De vrouw bleef even staan praten, daarna gaven ze elkaar een vriendschappelijke zoen en liep zij de andere kant op. De kinderen keken steeds om en zwaaiden.

Lauren vroeg zich af waarom dit haar zo'n gevoel van teleurstelling gaf. Had ze dan gemeend dat Stefan een onbeschreven blad was? Ze had zelf ook twee kinderen. Nee, ze was van mening geweest dat ze eerlijk tegen elkaar waren. Met een lichte zucht stond ze op en toen zag hij haar.

Hij kwam direct naar haar toe. „Lauren, je hebt mij gevonden? Ik hoop tenminste dat je voor mij komt."

Toen ze van dichtbij in zijn bruine ogen keek, begon haar hart te bonzen. „Ik had een dag vrij," zei ze onbeholpen.

„De meeste mensen zijn op zaterdag vrij. Tenzij je met bloemen op de markt staat."

Hij begreep natuurlijk dat ze expres op zaterdag was gekomen, omdat ze dan de meeste kans had hem thuis te treffen.

„Zullen we ergens gaan koffiedrinken of ga je met mij mee naar huis?" vroeg hij.

Ze aarzelde. Het leek misschien opdringerig als ze voor zijn huis koos. „Ik woon hier vlakbij," zei hij nog.

„Goed," gaf ze toe.

Zijn appartement was een stuk ruimer dan het hare. De inrichting was strak, maar dat werd goedgemaakt met veel planten, boeken en tijdschriften. Er was zelfs een vaas met bloemen. Het zou haar niet verbazen als een vrouw zich met de inrichting had bemoeid.

Terwijl hij in de keuken koffiezette keek ze rond. Er hingen enkele moderne etsen aan de muur. Op een lage tafel stond een foto van een jonge vrouw met twee kinderen. Het zou degene kunnen zijn die ze zojuist had gezien.

„Dat is Wendy met de kinderen," zei hij toen hij binnenkwam. Met een kleur wendde ze zich af. Ze had wel heel opvallend naar die foto zitten staren.

„Zo, en hoe is het nu met jou?" vroeg hij, toen hij tegenover haar zat.

Ze haalde haar schouders op. „Niet echt goed."

„Dat verwachtte ik ook niet. Ik bedoelde met die vraag niet of je al over het verlies van je zoon heen bent."

Ze vertelde daarop dat ze in Den Haag woonde en daar ook werk had gevonden.

„Zijn jullie nu definitief uit elkaar?" vroeg hij.

„Ik denk dat je het zo wel kunt stellen. Maar we hebben geen ruzie."

„Dat is mooi. Hoewel, soms is géén ruziemaken nog dodelijker voor een relatie dan af en toe met de borden smijten."

„Deed jij dat?" waagde ze.

„Wanneer?"

„Toen je een vriendin had, of een vrouw."

„Het is weleens gebeurd," zei hij losjes. Ze keek hem aan. Hij zat er nu zo rustig en ontspannen bij, iets dergelijks kon ze zich van hem niet voorstellen.

„Wanneer komt je boek uit?" gooide ze het over een andere boeg.

„Over twee maanden. Inmiddels ben ik aan een tweede deel begonnen. Daarnaast geef ik enkele dagen per week les. En af en toe pas ik op de kinderen. Dat is goed om zelfbeheersing te oefenen. Wendy vertrouwt ze volledig aan mij toe. Ze kent me natuurlijk door en door. Voor mij is het een soort van therapie."

„Ik zag je in de speeltuin," zei ze.

„O ja? Leuke kinderen, niet?"

„Ja. Ik dacht alleen…"

„Wat?"

„Ik wist niet dat je kinderen had."

Hij keek verbaasd. „Die heb ik ook niet. Wendy is mijn zus, ik heb je weleens over haar verteld." Nu pas herinnerde ze zich zijn opmerking over zijn zus die twee kinderen had. Ze verbaasde zich over de opluchting die ze voelde.

„Dacht je soms dat die twee van mij waren, en dat Wendy dus mijn ex-vrouw was?"vroeg hij nieuwsgierig.

„Eigenlijk wel," gaf ze toe.

Hij begon te lachen. „Zo'n verborgen verleden heb ik niet."

Lauren dronk zwijgend haar koffie. Zijzelf had wel een verleden. Van een deel daarvan was hij op de hoogte. Maar dat andere, ze zou het hem niet durven vertellen. Dat was immers niet nodig. Toen herinnerde ze zich de opmerking van de arts na de geboorte van Boy: u hebt eerder een kind gehad. Stefan was daarbij geweest. Hij was daar echter nooit meer op teruggekomen. Hopelijk was hij het vergeten.

Stefan vertelde nu een en ander over zijn werk. Hij

was ook heel open over het feit dat hij af en toe moeite had om zijn drift te bedwingen. „Het is me tot nu toe gelukt. Ik kan wat beter relativeren dan voor mijn verblijf in Frankrijk. Toch moet ik alert blijven."

„Je praat al positiever over jezelf dan toen ik je pas ontmoette," meende ze.

„Dat is zo. Het is echter nog niet zolang geleden dat ik je vriend bij de keel greep. Maar genoeg over mij. Laten we 't eens over jou hebben, of over ons tweeën."

„Ons tweeën?" echode ze.

„Ben je niet hierheen gekomen opdat wij elkaar wat beter zouden leren kennen? We kunnen goed met elkaar overweg. We zijn beiden alleen. Laten we eens samen iets ondernemen."

„Je bent niet erg subtiel," zei ze overbluft.

„Dat hoor ik vaker. Maar we zijn beiden volwassen, Lauren. En ik vraag je alleen of we elkaar wat vaker kunnen zien."

„Goed," zei ze een beetje ademloos.

Na de koffie gingen ze op zijn voorstel naar een mooi park, wandelden wat en zaten geruime tijd op een bank bij de vijver. Ze praatten en zwegen en Lauren voelde zich volkomen op haar gemak.

Stefan wilde haar met de auto thuisbrengen, maar dat weigerde ze, dus namen ze op het station afscheid met een vriendschappelijke zoen. „Je hoort van me," zei Stefan nog.

Zonder echt iets te zien, keek ze later naar het voorbijglijdende landschap. Ze wist niet goed wat ze van alles moest denken. Was ze werkelijk naar Stefan toe gegaan in de hoop dat ze een afspraak zouden maken? Ze had eigenlijk niet echt over de reden nagedacht, maar het kon best waar zijn. „Je hoort van me," had

167

Stefan gezegd. Eigenlijk vond ze een dergelijke afspraak wel erg vrijblijvend. Aan de andere kant moest ze eens goed over alles nadenken. Zocht ze iemand als oplossing voor haar eenzaamheid?

Ze was in feite nooit echt alleen geweest, want ze woonde nog bij haar moeder toen ze Raoul ontmoette. Stel je voor dat Stefan te weten kwam dat ze enkele jaren terug haar pasgeboren dochter zomaar ergens had neergelegd, zonder te weten hoe dat zou aflopen. Ze vond het nu zelf ongelofelijk, maar het was wel gebeurd. Dat feit zou haar haar hele leven blijven achtervolgen. Durfde ze dit eigenlijk wel aan Stefan te vertellen?

Door al haar gepieker verliep de reis snel. In plaats van de bus te nemen, liep ze de afstand naar haar appartement. Nog steeds voelde ze zich daar niet echt thuis. Het was een onderkomen, meer niet.

Morgen was het zondag. Ze zou haar moeder kunnen opzoeken. Agnes had het overigens prima gevonden als ze bij haar was blijven wonen. Maar ze moest een keer zelfstandig worden. Waarschijnlijk zou Agnes naar de kerk willen, maar ze kon natuurlijk met haar meegaan.

Ze belde haar moeder voor ze zich kon bedenken. Agnes was zo verstandig om niet hoogst verwonderd te reageren. Ze zei alleen: „Prima, ik kom je wel halen. Dan kunnen we daarna bij jou of bij mij koffiedrinken.''

Lauren vroeg zich af of ze er verstandig aan had gedaan. Ze kende niet veel mensen, in tegenstelling tot Agnes die zich regelmatig in de kerk liet zien.

Ze was een uurtje thuis toen de telefoon ging. „Hallo, met mij. Zullen we voor morgen iets afspreken?'' Het was Stefan en haar hart begon sneller te kloppen.

„Nou..." begon ze aarzelend.

„Of heb je iets anders? 't Is natuurlijk wel kort dag."

„Nou, gezien het feit dat we elkaar een paar uur geleden hebben gezien, en je toen zei: je hoort nog van me... vind ik..." Ze kwam er niet uit.

„Je vindt dat ik een redelijke tijd had dienen te wachten."

„Welnee. Het is prima," zei ze roekeloos. „Alleen, ik heb mijn moeder beloofd met haar naar de kerk te gaan."

„Dat duurt toch niet de hele dag. Dan kom ik je daarna halen. Rond half twaalf?"

„Goed, weet je waar ik woon?"

„Geef mij je adres maar even."

Nadat ze had neergelegd liep ze enkele malen de kamer op en neer, haar handen tegen haar gloeiende wangen. Wat bezielde haar? Was ze soms verliefd op Stefan? Ze herkende dat gevoel. Met Raoul was het net zo. En daar was nu niets meer van over, riep ze zichzelf een halt toe. Ze zou toch zeker niet voor de tweede keer dezelfde fout maken door opnieuw de verkeerde man te kiezen. Onbesuisd had ze zich indertijd gedragen, had Agnes gezegd. En ook dat zoiets niet blijvend was. Gelukkig was Agnes zo verstandig geweest om deze woorden nooit meer te herhalen. Ze was nu echter vijf jaar ouder en hopelijk ook wijzer.

Ze kon echter moeilijk in slaap komen doordat haar gedachten bij Stefan waren. Ze dacht eraan hoe zorgzaam hij was geweest voor en kort na Boys geboorte. Hij was de enige die iets positiefs over haar zoon had gezegd. „Hij heeft mooie ogen."

De tranen liepen haar over de wangen. „Mijn jongetje. Nu al, nog geen jaar later, is er iemand anders die mijn gedachten beheerst."

Ze dacht aan wat Stefan had gezegd: „Hij is eindelijk vrij." En aan de woorden van de dominee: „Hij is bevrijd uit het harnas van zijn onvolmaakte lichaampje. Hij is nu gelukkig." Dat zei men om te troosten. Want niemand wist iets zeker.

Ze zou daar graag eens met Stefan over praten. Maar hij zou haar vast niet willen ontmoeten om deze dingen te bespreken. Wat verwachtte hij van dit soort afspraken? Misschien niet meer dan een gezellig samenzijn?

„Zo, dat is lang geleden dat wij samen naar de kerk gingen," zei haar moeder de volgende morgen. Lauren ging er niet op in. Het leek haar of ze terug was in de tijd. Er was een periode geweest dat ze elke zondag haar moeder vergezelde. Maar dat was voor Raoul. Niet dat hij haar verbood om naar de kerk te gaan, maar er waren altijd zoveel andere dingen die hun aandacht vroegen. Toch was alles haar nog steeds zeer vertrouwd. De liturgie, de liederen. Het was blijkbaar iets waar je niet snel van vervreemdde. Soms dwaalden haar gedachten af naar Stefan. Maar ook naar haar zoontje en naar Rosy.

Na afloop vroeg haar moeder of ze meeging koffiedrinken. „Ik krijg bezoek. Gisteravond werd ik pas gebeld," zei Lauren een beetje schuldbewust.

„Het geeft niet. Misschien een andere keer." Toch had Lauren een vervelend gevoel toen haar moeder wegreed. Ze had haar ook niet willen vertellen wie degene was die zo onverwacht op bezoek kwam. Bang dat haar moeder voorbarige conclusies zou trekken.

Ze zette alles klaar voor de koffie en stipt om half twaalf ging de bel. Ze wierp nog een snelle blik in de spiegel. Ze had een kleur en haar ogen schitterden. Hij zou vast denken dat ze opgewonden was vanwege zijn bezoek. In feite was dat ook zo, het was alleen vervelend dat het aan haar te zien was.

Ze opende de voordeur en het eerste wat ze zag was een enorme bos voorjaarsbloemen. Hij duwde ze in haar armen, trok haar naar zich toe en zoende haar op Franse wijze drie keer op de wangen.

„Wat prachtig, ik heb al in geen jaren bloemen gekregen," zei ze en had gelijk spijt van die opmerking.

„Daarvoor moet je ook in Nederland zijn," zei hij. Dat was inderdaad zo. Ze had in de streek waar zij woonden nooit bloemenstalletjes gezien. En het was trouwens niet zo dat Raoul nooit iets voor haar meebracht.

„Ik zet ze even in het water," zei ze een beetje gejaagd. Ze zag er ongetwijfeld zeer verhit uit, haar wangen gloeiden.

Stefan volgde haar naar de keuken. Ze zocht een geschikte vaas, zette het koffiezetapparaat aan en ontdekte nu pas hoe klein de keuken in feite was. Hij stond tegen de wand geleund, maar ze moest voortdurend oppassen hem niet aan te raken. Ze maakte zich zo klein mogelijk.

Toen ze de bloemen naar de kamer bracht deed hij enkele passen opzij en zij mompelde: „Sorry." Ze zette de vaas op een laag tafeltje en bewonderde het effect. Daarna draaide ze zich om. Hij stond in de deuropening naar haar te kijken. Hun blikken kruisten elkaar en ze begonnen beiden te lachen.

„Wat is er met ons aan de hand?" vroeg hij nog nagrinnikend. „Zijn we ineens verlegen voor elkaar?"

„Daar lijkt het wel op. Ga zitten, dan schenk ik de

koffie in." Ze liep terug naar de keuken en voelde zich tot haar opluchting wat meer ontspannen. Even later zette ze de kopjes op tafel, een schaaltje met koekjes en chocola ernaast.

Hij keek om zich heen, en vroeg toen: „Kun je hier wel aarden? Dit is wel anders dan je gewend was."

„Ik voel me ook niet echt thuis. Ik heb voortdurend het gevoel dat het maar tijdelijk is."

„Denk je weer terug te gaan naar Raoul?"

Ze schudde het hoofd. „We hebben geen ruzie, maar we zijn ook niet meer verliefd. Het is alleen... in Frankrijk was Boy dichterbij. Nu lijkt het soms een boze droom. Iets wat in een ander leven gebeurd is."

„Maar dat is ook zo."

„Ja. Maar het is wel mijn leven. Boy hoort bij mij en dat zal zo blijven. Ik kan niet zomaar verder leven alsof hij nooit heeft bestaan."

„Niemand vraagt dat toch van je."

„Niemand weet hier iets van hem af. Collega's niet, of buren. Ik heb niet veel contacten. In elk geval niet zo dat ik kan vertellen over mijn gehandicapte zoon die ik verloor. Het voelt als verraad."

„Je wilt hem eren door over hem te praten," veronderstelde Stefan.

Ze knikte. „Zoiets. Maar zelfs mijn moeder zegt: je moet een nieuw leven opbouwen. Bewaar deze dingen voor jezelf. Niemand is er benieuwd naar."

„Ik had grote bewondering voor je zoals jij met het kind omging. Ik heb hem gekend, dus je kunt er met mij over praten."

„Waar denk je dat hij nu is?" stelde Lauren de vraag die steeds weer bij haar opkwam.

Peinzend zei Stefan: „Ik denk aan de cocon van een rups. De cocon breekt, is onbruikbaar, en de vlinder is

172

vrij. Het is misschien een wat kinderlijke redenering, maar iets zinnigers weet ik niet te zeggen. Het is niet veel, ik weet het. Maar ik weiger te geloven dat het bestaan van Boy totaal zinloos was."

„Hij is niet eens gedoopt," zei ze zacht.

„Er kwam een mensenkind op de wereld. Een jongen en zo kenden wij hem. En zo kent God hem, ga daar maar van uit."

„Zo dacht Raoul niet."

„Dat zie je vast verkeerd. Je denkt te hard over Raoul."

Ze stond op om nog eens koffie in te schenken. Waarom verdedigde hij Raoul? Vond hij het verkeerd dat ze bij hem was weggegaan? Stefan volgde haar naar de keuken. „Zet dat blaadje eens neer," zei hij. Tot haar eigen verbazing deed ze wat hij vroeg.

„Laten we er niet langer omheen draaien. We zijn volwassen mensen. Lauren, ik mag je erg graag en meer dan dat. Ik heb de indruk dat ik jou ook niet onverschillig laat, of zie ik dat verkeerd?" Hij keek haar afwachtend aan en Lauren had het gevoel dat ze maar één stap hoefde te doen en ze zou in zijn armen liggen. Wilde ze dat? Jazeker, heel graag zelfs. Dus deed ze die ene stap.

Hij sloeg zijn armen om haar heen en kuste haar. Het was geen gewone kus, het leek een natuurkracht die haar van top tot teen deed beven. Toen hij haar losliet, moest ze steun zoeken bij het aanrecht.

„Waarom wil je mij niet aankijken?" vroeg hij zacht.

„Ik kijk je toch aan."

„Je kijkt naar mijn linkeroor," zei hij.

Ze glimlachte onwillekeurig. „O Stefan, hoe kan dat zo ineens?"

„Zo ineens? Ik hou al heel lang van je. Volkomen uitzichtloos, dacht ik toen. Ik ging al van je houden toen jij met Remy kwam aanzetten. Iemand die zo voor een dier opkomt, moet ook goed zijn voor mensen, dacht ik."

Lauren kreeg een bijna lichamelijke schok en maakte zich los uit zijn armen. Als hij wist van Rosy, zou hij heel anders over haar denken. Inderdaad, ze had het opgenomen voor een achtergelaten hond. En haar eigen baby had ze ergens onder een heg neergelegd, zonder dat ze wist of dat goed zou aflopen. Stefan zou ontzet zijn als hij daarvan hoorde. De hoge dunk die hij blijkbaar van haar had zou verdwijnen en er zou afkeer en minachting voor in de plaats komen.

Ze trok zich nog wat verder van hem terug. „Ik geloof niet dat dit zo'n goed idee is," zei ze.

„Wat niet?"

„Wij samen."

„Waarom ben je ineens zo negatief? Ik weet namelijk zeker dat je van me houdt."

„Het ontbreekt je niet aan zelfvertrouwen, Stefan. Ik mag je graag."

Hij hield de handen voor de oren. „Dat is niet wat ik wil horen."

De tranen liepen nu over haar wangen en hij strekte zijn handen naar haar uit. „Wat is er dan? Is het om Boy? Ben je er nog niet klaar voor? Ik zal me heus niet opdringen. Of is het omdat ik ooit heb gezegd dat ik geen kinderen wil. Is dat het, Lauren?"

„Misschien zou ik daarmee wel kunnen leven," zei ze zacht.

„Samen met jou ga ik er misschien anders over denken," zei hij.

„O Stefan… als je alles wist, zou je zo niet praten.

Ik ben bepaald geen lot uit de loterij. Je moet vooral niet van me gaan houden," zei ze, haar tranen wegvegend.

Kalm zei hij: „Dat ben ik juist wél van plan. Ik zoek namelijk geen lot uit de loterij."

„O, Stefan..."

„Hou daar eens mee op. Zeg me liever wat je dwarszit." Hij klonk ongeduldig en ze dacht ineens aan zijn opvliegendheid. Ze wilde zeker geen ruzie uitlokken.

„Laten we een en ander nog even uitstellen. Tot je alles weet," zei ze.

„Ik weet niet of ik je duistere verleden wel wil kennen."

„Spot nou niet, Stefan. Het is ernstiger dan je denkt. Wil je volgend weekend met mij naar Overijssel?"

„Oké."

Dat was nu weer echt Stefan. Zonder te vragen waar dat goed voor was stemde hij toe. „Gaan we dan het hele weekend? Moet ik een hotel bespreken?"

„Laten we niet te hard van stapel lopen."

„Goed. Zullen we dan nu een eind gaan fietsen?"

„Fietsen?"

„Ja, je weet wel: je voortbewegen op twee wielen."

Ondanks alles moest ze lachen. Het leek haar wel een goed idee. Buiten zijn en even proberen alles te vergeten, behalve het feit dat Stefan van haar hield. Hoe alles ook zou aflopen, op dit moment was ze zeker van zijn liefde. Ze kon daar maar beter van genieten, want de kans dat die liefde blijvend was leek haar klein. Ze zou een en ander natuurlijk voor hem kunnen verzwijgen. Maar ze kon niet net doen of haar dochter niet bestond. Nu niet meer, na het overlijden van Boy.

Wat later fietsten ze buiten de stad. Op het station

hadden ze fietsen gehuurd. „Ga je naar je werk met de bus?" informeerde Stefan.

Ze knikte. „Ik zou natuurlijk op de fiets kunnen gaan. In Frankrijk fietste ik nooit."

„Nee, daar liep je over het strand," glimlachte hij. Terwijl de wind haar haren in de war blies, dacht Lauren aan die tijd in Frankrijk. Ze was vaak op het strand geweest. En meestal hoopte ze Stefan tegen te komen. Was ze toen al verliefd op hem geweest, maar had ze dat zichzelf niet willen toegeven? Had Raoul het begrepen? Fleur waarschijnlijk wel. Het meisje hield haar altijd in de gaten.

Ze had weleens gedacht dat dat gebeurde in opdracht van Raoul. Nu twijfelde ze daaraan. Raoul had haar altijd vertrouwd. Maar ze had niet de indruk dat hij bepaald ten onder ging aan verdriet nu zij was vertrokken. Hij belde regelmatig, klonk altijd opgewekt, maar vroeg haar niet om terug te komen.

„Zullen we daar even gaan zitten?" onderbrak Stefan haar gedachten. Hij wees naar een beschut plekje. Ze voelde Stefans blik op zich rusten. „Je bent ver weg met je gedachten."

„Ik denk aan mijn tijd in Frankrijk."

Hij knikte. „Niet zo'n groot deel van je leven, maar wel een belangrijk deel. Ik denk zelf ook vaak aan die tijd. Mijn eerste roman is daar ontstaan. Na mijn ontslag heb ik heel erg aan mezelf getwijfeld. Het kostte tijd om weer zelfvertrouwen te krijgen. Hier in Nederland was mijn relatie stukgelopen. Alles zat eigenlijk tegen. Toen ik jou ontmoette, was het eerste wat ik dacht: waarom moet Raoul alles hebben? Een afwisselende baan, veel geld en nu ook nog een mooie vrouw. Dat verdient hij helemaal niet. Ik was in die tijd erg opstandig."

Ze wachtte met antwoord geven tot de ober hun bestelling had neergezet. Daarna zei ze: „Toen ik jou voor het eerst ontmoette, heb ik niets van onzekerheid gemerkt. Naar mijn gevoel liep je juist over van zelfvertrouwen."

Luchtig zei hij: „Misschien hield ik me groot. Wat wil je eigenlijk in Overijssel?" Deze vraag kwam onverwacht en ze keek hem aan zonder iets te zeggen. „Je lijkt van die vraag te schrikken. Is het een geheim?"

„Ik wil iemand opzoeken."

„En je wilt mij daarbij hebben."

„Ik leg het je later wel uit," mompelde ze.

Hij zei er niets meer over, vertelde over zijn tweede boek, dat een vervolg op het eerste zou worden. „Het is op verzoek van de uitgever. Hij zag nummer een wel zitten en vond een vervolg daarop een goed idee."

„Wat vind je leuker: schrijven of lesgeven?"

„Nou, ik denk dat het een niet zonder het ander kan. Wie weet schrijf ik nog weleens een boek over het omgaan met pubers."

„Daar is vast behoefte aan," zei ze tactvol.

Hij keek haar met opgetrokken wenkbrauwen aan. „Ik was niet serieus. We worden overstroomd met publicaties over dat onderwerp."

„Jij zit er middenin. Dat is anders dan wanneer een of andere pedagoog alles uit een boekje haalt," hield ze vol.

Hij glimlachte. „Ik ben blij dat je met me meedenkt. Zullen we gaan? Het is nog een uur terug naar je flat."

„Moet je op een bepaalde tijd thuis zijn?" vroeg ze toen ze weer op de fiets zaten.

„Er wacht niemand op mij. Als jij het vraagt, blijf ik bij je slapen."

„Maar ik vraag het je niet," zei ze lachend, blij dat ze zo ontspannen met elkaar omgingen.

Nadat ze de fietsen hadden afgeleverd reed Stefan met haar mee in de bus. Zijn auto stond nog voor de flat. Ze durfde hem niet te vragen binnen te komen, maar was blij dat hij als vanzelfsprekend met haar meeliep. „En wat nu?" vroeg hij, terwijl hij met zijn rug naar het raam stond. „Er zijn diverse mogelijkheden. We gaan koken, of tv kijken; praten, of ik ga terug naar huis."

„Wat wil je zelf?" vroeg ze om tijd te winnen.

Er verscheen een vonkje in zijn ogen en ze wist dat hij haar weer zou plagen. „Wat ik wil? Laat ik daar maar niet over uitweiden."

Lauren kreeg een kleur.

Berouwvol zei Stefan: „Sorry, ik loop een beetje te hard van stapel. Maar ik… nou ja, laat ook maar. Ik stel voor dat we een hapje eten. Ik kan behoorlijk koken en ik heb verschillende dingen meegebracht. Tijdens dat eten praten we en daarna vertrek ik."

Lauren knikte. Dit leek haar verreweg het veiligste scenario. Want het was een feit: als ze in zijn ogen keek, gebeurde er iets met haar. Ze kreeg dan het gevoel dat ze haar blik niet meer kon afwenden, dus keek ze zo min mogelijk in zijn richting. „Ik trek even iets anders aan," zei ze nadat ze nog iets hadden gedronken.

„En ik dan? Ben ik netjes genoeg?" vroeg hij plagend.

Lauren haalde diep adem en liet haar blik over hem heen dwalen. Van zijn donkere haar, de bruine ogen, de lichte sweater tot de donkere jeans. „Je ziet er prima uit," zei ze, naar ze hoopte op zakelijke toon.

„Dank je." Hij ging zitten en pakte tot haar opluchting een tijdschrift. In haar slaapkamer kleedde ze zich in een lichte broek en een donkergroene zijden blouse. Raoul had altijd gezegd dat haar ogen daardoor nog dieper groen leken. En Raoul had verstand van dat soort zaken.

Even stond ze doodstil. Ze had vandaag een afspraak met Stefan en nog geen jaar geleden was Boy gestorven. Erger, ze had vandaag alleen maar af en toe zijdelings aan Boy gedacht. Ze had genoten van het samenzijn met Stefan. In de spiegel zag ze de grote, glinsterende oorringen en met een schuldig gevoel deed ze ze weer uit, koos in plaats daarvan eenvoudige knopjes. Ze hoefde er niet uit te zien of ze naar een feest ging.

## ❋ 12 ❋

Toen ze weer in de kamer kwam, keek Stefan haar opmerkzaam aan.

„Is er iets?"

„Je kijkt een beetje somber." Hij voelde blijkbaar elke stemming van haar aan. „Ik voel me schuldig dat ik plezier maak met jou, terwijl Boy..." Haar stem beefde.

Hij stond op, en legde zijn arm om haar schouders. „Liefje, het kan niet de bedoeling zijn dat jijzelf ook ophoudt met leven. Ik begrijp heel goed dat je nog niet over het verlies van Boy heen bent. Dat verwacht ik ook niet. Maar daarom mag je wel een leuke dag hebben."

Ze maakte zich los uit zijn arm en veegde de tranen van haar wangen. „Sorry," mompelde ze.

„Je hoeft je niet te verontschuldigen. En als je toch liever hebt dat ik al vertrek, heb ik daar vrede mee."

Ze schudde het hoofd. Later was ze blij dat hij was gebleven. Hij kon inderdaad goed koken en het werd uiteindelijk heel gezellig. Ze voelde wel een zekere spanning tussen hen, maar in feite was dat niet onprettig.

Stefan vertelde over zijn werk vóór hij werd ontslagen en ook over zijn soms heftige driftbuien. Hij was daar heel open over, zei dat hij zich achteraf vreselijk geneerde. „Het feit dat ik een grootvader had die regelmatig met het serviesgoed smeet, hielp mij niet veel. Toen ik op een dag een jongen alle hoeken van het klaslokaal liet zien, was de maat vol. Ook bij mezelf. Ik had toen zoiets van: dit komt nooit meer goed. Ik zal nog in de gevangenis eindigen. Maar na enkele gesprekken met een therapeut en mijn verblijf in Frankrijk, gaat het stukken beter. Ik geloof dat ik mijn wilde jaren voor het grootste deel achter de rug heb."

„Hij die zichzelf overwint, is sterker dan hij die een stad inneemt," citeerde ze.

„Iemand heeft dat eerder tegen mij gezegd. Een mens kan vaak meer dan hij zelf denkt. Had jij ooit gedacht dat je bijvoorbeeld de zorg voor een kind als Boy zou aankunnen?"

„Je wordt gewoon meegesleept," mompelde ze.

„Precies. En het zit in ieder mens om tijdens zo'n zware periode te trachten het hoofd boven water te houden." Hij glimlachte. „Wat zijn we ernstig bezig. Laten we hopen dat ook voor jou betere tijden aanbreken."

Ze bleef hem aankijken. „Ik geloof dat die al aangebroken zijn," zei ze zacht.

Ze dronken nog een kopje koffie. Het was buitengewoon ontspannend bij Stefan te zijn, een beetje te praten en naar muziek te luisteren. Toen hij naast haar kwam zitten en zijn arm om haar heen legde, leunde ze tegen hem aan. Ze voelde zich prettig bij hem. Haar verstand zei haar hem naar huis te sturen. Ze mocht niet te ver gaan, maar toen hij haar kuste voelde ze dat haar bezwaren begonnen te verdwijnen.

Stefan was zeker niet opdringerig. Het gevaar lag ook niet in de kracht van de aanval, maar veel meer in de zwakte van de verdediging. Het beeld van de stad kwam Lauren weer voor ogen. 'Die zichzelf overwint, is sterker dan hij die een stad inneemt.' Ze maakte zich los uit zijn armen. „Je moet naar huis."

Stefan schoot in de lach. „Je weet de romantiek wel de nek om te draaien." Hij maakte echter geen aanstalten haar opnieuw in zijn armen te nemen. Het viel

Lauren een beetje tegen dat hij niet protesteerde. Ze liep met hem mee naar de auto, en vroeg zich af of hij teleurgesteld was. Hij liet in elk geval niets merken.

Lauren wilde het liefst dat hij bij haar zou blijven. Maar hij kuste haar vluchtig op de mond en zei: „Bel me nog even over volgende week. Als we naar Overijssel gaan." Lauren kwam met een plof met beide benen op de grond. Volgende week was het uur van de waarheid. „Afgesproken?" vroeg hij nog. Ze knikte alleen, en sloot even later de deur zorgvuldig achter hem. In de flat bleef ze even voor het raam staan, ze zag hem in zijn auto stappen. Hij keek omhoog en zwaaide.

Ze schoof de gordijnen dicht en zag toen pas het lichtje op haar antwoordapparaat flikkeren. Ze verwachtte geen telefoontjes. Sinds ze in Nederland was, had ze nog geen mensen leren kennen die haar op zondag zouden bellen.

Het bleek Raoul te zijn die haar vroeg hem terug te bellen. Het was inmiddels half twaalf. Te laat om te bellen, besloot ze. Zó dringend zou het wel niet zijn. Morgenochtend was hij naar zijn werk, ze wist uit ervaring hoe weinig tijd hij 's morgens had. Dan moest het maar tot morgenavond wachten.

Toen ze de volgende dag thuiskwam, stond dezelfde oproep opnieuw op haar antwoordapparaat. Lauren zette eerst thee voor zichzelf, ze bemerkte een zekere tegenzin om Raoul te bellen. Maar goed, ze kon het niet negeren. Hij zou ongetwijfeld opnieuw bellen en als ze dan nog niet reageerde, zou hij mogelijk haar moeder inschakelen. Die zou dan waarschijnlijk zeggen dat Lauren een belangrijke afspraak had, al was het alleen maar om Raoul duidelijk te maken dat haar dochter hem niet nodig had.

Lauren tikte Raouls nummer in en ging op de bank zitten. Hij meldde zich snel. „Met Lauren. Wat is er aan de hand?" Ze hoorde zelf hoe kortaf dit klonk.

„Ik hoop dat je even tijd hebt. Ik heb gisteren een paar keer geprobeerd je te bellen. Ik dacht: op zondag is ze wel thuis." Hij wachtte even, maar Lauren was niet van plan hem in te lichten over hoe ze haar zondag besteed had, dus ging hij verder: „Ik kreeg een telefoontje van het tehuis waar mijn moeder woont. Het schijnt niet zo goed met haar te gaan. Ik kan echter op dit moment heel moeilijk weg. Eigenlijk pas over tien dagen. Wil jij haar eens opzoeken? Bekijken of het werkelijk nodig is dat ik spoorslags naar Nederland afreis?"

„Raoul, die verantwoordelijkheid kun je toch niet bij mij leggen," reageerde ze een beetje verontwaardigd.

„Waarom niet, Lauren? Je hebt met die mensen gewerkt. Moeder kent jou, jij komt zeker zoveel te weten als ik."

„Was er nóg iets?" vroeg ze, beducht voor nog meer opdrachten.

„Er is het een en ander gebeurd. Ik heb een vrouw leren kennen. Deze keer is het echt serieus, Lauren."

„Gefeliciteerd."

„Het punt is, zij kan geen kinderen krijgen. Zij heeft mij al heel snel gezegd dat ze tot adoptie wil overgaan. Ze wilde dat ik dat wist voor onze relatie te hecht was."

„Een vrouw met karakter. Het is beter gelijk maar duidelijk te zijn," antwoordde Lauren een tikje ironisch.

183

„Lauren, ik heb al een dochter. Wat ligt er meer voor de hand dan haar op te eisen?"

„O nee. Ze is ook mijn kind."

„Dat weet ik. Maar jij staat zwak, omdat je haar te vondeling hebt gelegd."

„Waar ben je eigenlijk mee bezig? Vraag je mij toestemming om Rosy van die mensen af te nemen?"

„Ik vraag geen toestemming. Ik deel iets mee," zei hij kalm.

„Je hebt geen enkel bewijs dat Roseline van jou is. Je wilde haar niet erkennen, weet je nog?" Ze kon niet nalaten hem dit nog eens voor de voeten te gooien.

„Ik neem een advocaat in de arm. Door een DNA-onderzoek moet te bewijzen zijn dat Rosy van mij is."

„Raoul, denk toch na. Je hebt vijf jaar niet naar haar omgekeken. Die mensen hebben haar inmiddels waarschijnlijk geadopteerd. Dat zal een bijzonder ingewikkelde juridische procedure worden."

„Kan me niet schelen. Ik ben zo fatsoenlijk om jou in te lichten en jij kunt alleen maar negatief reageren."

„Die vrouw moet wel erg belangrijk voor je zijn."

„Dat is ook zo. Waarom zou ik overgaan tot adoptie van bijvoorbeeld een buitenlands kind als ik al een dochter heb? Maar goed, je bent nu op de hoogte."

Ik had liever niets geweten, dacht Lauren toen ze de hoorn neerlegde. Hoewel, zij was er ook bij betrokken. Wat moest ze hier nou mee? Ze kon zich niet voorstellen dat hij een eventueel juridisch steekspel zou winnen. Aan de andere kant, hij had invloedrijke vrienden. Er was een kans dat de mensen die Rosy onder hun hoede hadden genomen, volkomen door zijn argumenten werden overbluft.

Wat was er in Raoul gevaren? Wilde hij nu ineens

een gezin? Maar zijzelf wilde niet dat haar dochter bij hem opgroeide. De kans dat hij in Spanje ging wonen, was heel groot en in dat geval was Rosy voorgoed buiten haar bereik. Wat moest ze nu doen? Die mensen waarschuwen? Maar de moeder leek haar een type dat volkomen in paniek zou raken.

Ze ging volgende week met Stefan die richting uit. Zou ze zover durven gaan dat ze hem de zaak voorlegde? Ze wist niet of ze daar al aan toe was. Waarom betrok Raoul haar hierin? Verwachtte hij soms dat ze aan iets dergelijks meewerkte?

Hij had gevraagd of ze zijn moeder wilde opzoeken. Maar zij kon niet beoordelen hoe ziek de vrouw was. Ze zou stellig naar Raoul vragen. Moest haar antwoord dan zijn: de eerste tien dagen heeft hij geen tijd? Waarom scheepte hij haar hiermee op?

Lauren kon echter de vraag van Raoul moeilijk naast zich neerleggen. Ze wilde zijn moeder niet aan haar lot overlaten. De volgende dag ging ze na haar werk naar het verzorgingstehuis waar mevrouw Lucasse verbleef. Bij de receptie vroeg ze of ze haar kon opzoeken.

„Ik bel even met de verzorging. De ene dag is zij fitter dan de andere. Soms wil ze geen bezoek."

Terwijl Lauren wachtte, dacht ze eraan dat Raoul zijn moeder zelden had bezocht in de tijd dat zij, Lauren, in Frankrijk woonde. Hij belde haar af en toe op, meestal om te melden hoe druk hij het had. Zijn moeder toonde altijd begrip. „Ze zeurt nooit," zei Raoul soms.

„Wat zou ze daarmee opschieten?" had ze gevraagd. „Men zegt altijd: kinderen die vragen worden overgeslagen. Maar hier geldt: als ze niets vraagt, wordt ze zeker overgeslagen." Hij had haar een beetje geïrriteerd aangekeken, maar voor deze ene keer had hij geen weerwoord.

„U kunt naar haar toe gaan. Ze zal zelf wel aangeven wanneer ze moe is," zei het meisje nu.

Even later klopte Lauren op de aangewezen kamerdeur. Toen er geen antwoord kwam, ging ze naar binnen. In het kamertje was niets veranderd, dat zag ze in één oogopslag. Maar mevrouw Lucasse zelf herkende ze nauwelijks. Ze was altijd een pittig vrouwtje geweest, maar nu stonden haar ogen dof en leek ze geen belangstelling te hebben voor hetgeen om haar heen gebeurde.

„Mevrouw Lucasse, hoe maakt u het?" begon Lauren maar, met de voor de hand liggende openingszin.

„Oud en der dagen zat," kwam het antwoord prompt.

Lauren ging tegenover haar zitten. „Ik begrijp dat u ziek bent geweest?"

„Dat ben ik nog. Wie ben jij eigenlijk? Weer een nieuw gezicht in de eindeloze stroom die hier in- en uitloopt?"

„Ik ben Lauren van Rijssel. Ik breng u de groeten van Raoul."

„Zo. Hij kan beter zelf komen. Lauren zei je…? Jij was toch dat meisje met wie hij naar Frankrijk vertrok? Ik hoopte dat jullie zouden trouwen. Maar ik ben ouderwets, zegt Raoul. Ben je nog steeds bij hem?"

„Nee, we zijn uit elkaar. Ik woon nu weer in Nederland."

„Ach ja, men doet maar. Men woont een poosje samen en dan is het weer over. Ik vond jou trouwens een aardig meisje."

Lauren glimlachte bij dit onverwachte compliment, en zei: „Ik heb nog wel contact met Raoul. Hij heeft het erg druk en kan pas over tien dagen naar Nederland komen."

„En nu heeft hij jou gestuurd om te informeren of ik die tien dagen nog in leven blijf."

Lauren wilde hier niet tegen ingaan, want al zei ze het wat cru, in feite had Raouls moeder gelijk.

„Weet je, kind, dat heb ik zelf niet in de hand. Ik zou Raoul nog graag zien, maar als de Here vindt dat mijn tijd is gekomen, dan heeft verzet weinig zin. En tussen ons gezegd, dat wil ik ook niet, het is mooi geweest. Ik ben klaar met leven."

Onverhoeds schoten Lauren de tranen in de ogen. Boy was niet klaar geweest met leven, hij stond nog maar aan het begin. Maar vanaf de eerste dag was het een moeizaam leven geweest. Een gevecht. Dus misschien was het voor Boy ook genoeg geweest. Ze dacht graag aan hem als aan een volkomen gezond kind, spelend in een wei vol bloemen. Hemelse fantasie noemde ze dat in gedachten.

Ineens voelde ze de hand van de oude vrouw op de hare. „Je hoeft geen medelijden met me te hebben. Het leven is uiteindelijk een wachtkamer voor iets beters. Zeker als je zo oud bent als ik."

„Ik zou u graag wat beter hebben gekend," zei Lauren gemeend. Heel graag zou ze met Raouls moeder hebben gepraat over haar twee kinderen, kleinkinderen van deze vrouw. Maar nu was het te laat. Ze zag dat de ander de ogen even sloot en stond op. „U bent moe, ik zie het."

„Ik ben tegenwoordig altijd moe. Als je Raoul spreekt, zeg je hem maar dat ik niet van plan ben op hem te wachten. Hij heeft tijd genoeg gehad, vind je niet?" Lauren moest haar in haar hart gelijk geven. „Ik zal vragen of hij u in elk geval belt," beloofde ze. „Goed kind, doe dat maar." Lauren nam afscheid met het gevoel dat Raouls moeder haar een soort gunst bewees. „Goed kind, bel Raoul maar als jij dat zo graag wilt."

Eenmaal thuis belde ze eerst haar eigen moeder. Agnes was veel jonger dan Raouls moeder, maar toch moest ze er ineens aan denken dat ook haar moeder iets kon overkomen, of ziek kon worden, had ze dan wel voldoende contact met haar gezocht? Agnes stond weliswaar nog midden in het leven, maar dat was geen garantie dat alles nog jaren hetzelfde bleef. Ze vertelde Agnes van haar bezoek aan mevrouw Lucasse.

„Dus je neemt nog steeds opdrachten van hem aan," veronderstelde haar moeder.

„In dit geval deed ik het vooral voor mevrouw Lucasse zelf." Ze vertelde hoe het bezoek was verlopen en Agnes leverde hier en daar commentaar. Lauren had haar moeder graag in vertrouwen genomen over het gesprek met Raoul en over het feit dat hij Roseline wilde terughebben, maar ze deed het toch maar niet.

Later belde ze Raoul en vertelde hem van haar bezoek aan zijn moeder. „Ik hoop dat het goed met haar gaat," zei hij.

„Dat zou ik niet willen zeggen. Ze is niet levensbedreigend ziek, voorzover ik het kan zien. Ze gaat wel achteruit en eigenlijk wil ze niet meer."

„Wat is er dan gebeurd?" vroeg hij op een toon of zijn moeder allerlei tegenslagen te verwerken had gekregen en het leven daarom niet meer zag zitten. Er klonk ook een zeker ongeduld in zijn stem door.

Raoul had nooit tijd voor problemen en zeker niet voor die van anderen.

„Er is niets bijzonders gebeurd, maar ze vindt dat haar leven voltooid is."

„Ja, ja." Raoul begreep hier duidelijk niets van. Een beetje inlevingsvermogen zou je niet misstaan, dacht Lauren.

„Vind jij dat ik spoorslags naar Nederland moet afreizen?"

Lauren aarzelde. Moest zij de verantwoordelijkheid op zich nemen door hier ja of nee op te zeggen? „Je moeder zegt dat ze niet op je wacht. Als haar tijd daar is, dan gaat ze," zei ze ten slotte.

Hij verwerkte dit even. „Dat is niet echt een antwoord waar ik iets aan heb," zei hij toen.

„Je moet zelf de beslissing nemen," antwoordde ze.

„Wil jij deze week nog een keer naar haar toe gaan en mij dan bellen hoe het met haar is?" vroeg hij nog.

„Raoul, ik ben haar schoondochter niet," zei ze verontwaardigd.

„Daarom kun je nog wel iets voor mijn moeder en voor mij doen."

Enigszins overbluft legde ze even later de hoorn neer. Het was toch werkelijk niet te geloven. Hij had zich altijd zo gedragen, ook in zijn werk. Hij zag kans mensen dingen voor hem te laten doen en ze het gevoel te geven dat ze er niet onderuit konden.

Als ze daaraan dacht sloeg de schrik haar om het hart. Hij zou vast wel enkele mensen kennen die hem wilden helpen Roseline bij zich te krijgen. Zij wilde dat echter niet. Ze wilde niet dat een onbekende Franse vrouw haar dochter opvoedde. Ze vroeg zich echter af hoe ze een en ander kon voorkomen zonder dat ze het hele verhaal naar buiten bracht.

De week verliep verder zonder bijzonderheden. Ze belde nog een keer naar het verzorgingstehuis en vroeg naar mevrouw Lucasse. Haar toestand bleek onveranderd. Ze gaf deze boodschap door aan Raoul die duidelijk opgelucht was. „Volgende week kom ik naar Nederland. Ik breng Yvette mee, dan kan moeder kennis met haar maken."

Daar zat ze echt op te wachten, dacht Lauren. Ziet ze eindelijk na maanden haar zoon weer eens en dan brengt hij een volkomen vreemd Frans meisje mee. Maar goed, het waren haar zaken niet. Niet meer.

Die zaterdag was Stefan er al vroeg. Ze waren het erover eens dat het een flink eind rijden was. In de auto vertelde ze hem dat ze op de camping van de familie Luiting moesten zijn. „Gaan we kamperen?" vroeg hij.

„Wie weet," antwoordde ze.

„Had ik een tent moeten meenemen?" ging hij er serieus op in.

„Ja, als ik er welkom ben, ga ik daar misschien wel een keer kamperen," zei ze als in gedachten.

Van terzijde keek hij naar haar. Hij begreep dat dit alles te maken had met haar verleden en wilde haar niet onder druk zetten door verder te vragen. Ze praatten dus over allerlei zaken, maar niet over de reden van deze tocht. Ze dronken onderweg koffie en het viel Stefan op dat Lauren steeds stiller werd.

Toen ze vlak bij de plaats van bestemming waren en ze hem wees hoe hij het laatste stuk moest rijden, kon ze bijna niet uit haar woorden komen. Hij stopte voor de ingang van de camping. „Je weet zeker dat je dit doen moet?" vroeg hij.

Ze knikte kort. Ze stapten uit en liepen langzaam

het terrein op. Het was geen grote camping, maar wel sfeervol met ruime plaatsen en veel groen.

Lauren liep langs enkele caravans naar het eind van het terrein waar een omheinde ruimte was. Een man was bezig een vrouw paardrijles te geven. Het dier liep stapvoets en de vrouw hield krampachtig de teugels vast. „Een van haar eerste lessen," mompelde Stefan.

Toen de man hen zag, kwam hij naar hen toe, het paard aan het bit met zich meenemend. „Ja?"

Lauren keek hem aan en kon eerst niets uitbrengen. Dit was dus de man die haar dochter verzorgde en opvoedde. „Wilt u rijles of een plaats bespreken?" vroeg de man, die kennelijk ongeduldig werd.

„Geen van beide. Ik wil graag uw vrouw spreken."

De man fronste. „Weet u zeker dat u het niet met mij af kunt?"

„Heel zeker."

„Goed dan." Hij pakte zijn mobieltje uit zijn borstzakje en wilde een nummer intoetsen. „Ik kan zelf wel naar haar toe gaan. Ik weet waar het huis is," zei Lauren.

„Ik weet niet of..." Hij keek naar het paard dat ongeduldig met zijn voorbeen over de grond schraapte. „Nou goed. Ze zal wel bij het huis zijn." Waarop hij zich omdraaide en het paard zich weer in beweging zette.

„Hij leek me niet echt enthousiast," zei Stefan.

Lauren antwoordde niet eens. Toen ze om de hoek van de schuur kwam, bleef ze stokstijf staan. Een vrouw was bezig met was ophangen en een klein meisje hielp haar met het aangeven van de wasknijpers. De vrouw stond met haar rug naar hen toe maar het kind zag hen en staarde met grote ogen.

„Je zou toch verwachten dat ze vreemden gewend is," mompelde Stefan.

„Ze schermt het kind af," zei Lauren stellig.

De vrouw draaide zich nu naar hen om en Stefan zag haar gezicht veranderen. Er was niet alleen schrik, maar ook angst op te lezen. Even leek het of ze zich zou omdraaien en weglopen. Toen pakte ze het meisje stevig bij de hand en kwam naar hen toe. „Wat wilt u? Mijn man gaat over de camping."

„Ik kom niet voor de camping," zei Lauren. „Weet u niet wie ik ben?"

„Ik ken u niet," zei de vrouw stug.

„Ik ben hier al eerder geweest."

„Ik kan niet alle campinggasten onthouden."

„De allereerste keer dat ik hier was, heb ik iets bij u onder de heg neergelegd."

De vrouw deinsde achteruit of ze bang was een klap te krijgen. Het meisje staarde hen met grote ogen aan. „Ik weet niet waar u het over hebt," zei de vrouw.

„Natuurlijk weet u dat wel. Ik ben hier om over Roseline te praten."

„Ze is ónze dochter. Ze draagt ónze naam," zei de vrouw heftig.

„Dat laatste is maar een formaliteit. Maar ik wil haar niet van u afnemen. Ik wil haar alleen af en toe zien en over haar praten."

„Dat kan ik niet toestaan." De vrouw leek nu wat kalmer. „Jij hebt al je rechten verspeeld toen je Rosy bij ons onder de heg achterliet."

Lauren hoorde Stefan zijn adem inhouden. Maar ze kon nu niet meer terug. „Ik wil met u praten," zei ze nog eens.

„Goed, maar dan wel met mijn man erbij. Komt u een andere keer maar terug. Hij heeft het nu te druk."

Haastig zei Lauren: „Ik heb hier een briefje met mijn adres en telefoonnummer. Praat er eens met uw man over en neem dan contact op met mij."

De vrouw draaide zich om en liep weg.

Lauren wist even niet wat te doen en keek Stefan hulpzoekend aan. Maar zijn gezicht vertoonde zo'n geschokte uitdrukking dat ze begreep dat ze het voor het moment beter voor gezien kon houden. „Kom." Ze begon de richting van het hek uit te lopen. Ze keek niet meer om, maar eenmaal bij de auto zag Stefan dat ze huilde. Hij zei niets en zwijgend stapten ze in. Hij keerde de auto en reed in een matig tempo terug naar de grote weg.

„Vind je dat ik jou een verklaring schuldig ben?" vroeg Lauren eindelijk.

„Je bent me niets schuldig. Behalve als je een relatie die nauwelijks is begonnen serieus wilt nemen. In dat geval wil ik graag weten waarin ik betrokken raak."

„Je hebt het kind gezien. Ik denk dat je het wel begrijpt," zei ze.

„Ze heeft dezelfde groene ogen als jij, dus het is mij wel duidelijk. Maar aan de andere kant kan ik haar niet in verband brengen met de vrouw die een verwaarloosde hond probeerde te redden. En zeker niet met degene die zich helemaal inzette voor de verzorging van haar zwaar gehandicapte zoon."

„Ik wil je graag vertellen hoe het is gegaan," zei ze kleintjes. „Je zult me wel veroordelen, maar…"

„Veroordelen is niet aan mij. Laten we een rustig restaurant opzoeken en koffiedrinken. Je hebt wel een opkikker nodig."

Toen ze eenmaal zaten en op hun koffie wachtten, zei Lauren: „Jij bent de eerste aan wie ik dit vertel. De

193

enige anderen die op de hoogte zijn, zijn Raoul en mijn moeder."

Daarop begon ze haar verhaal over haar verliefdheid op Raoul en dat ze onverwacht en zeer tegen zijn zin zwanger was geraakt. „Ik moest kiezen tussen hem en het kind en ik koos voor hem. Abortus wilde ik zeker niet, daarvoor was het trouwens al te laat. Ik zag dit destijds als de enige mogelijkheid, maar ik ben nadien nooit meer een moment echt gelukkig geweest. Toen ik opnieuw zwanger was, wist ik dat ik nu voor het kind zou kiezen. Je weet hoe het gegaan is. En ik blijf maar denken dat dat mijn straf was."

„Lauren, dat kun je niet menen!"

„Het zou toch logisch zijn?"

„Van wie verwacht je een dergelijke logica? Van God soms? Waarom denk je niet dat Boy bij jou heel goed terechtkwam. Jij gaf hem veel liefde. Daarmee heb je het afstaan van je dochter naar mijn gevoel weer goedgemaakt. Dat is misschien simpel gedacht. Weet je, Lauren, ik geloof in God, maar ik denk niet dat Hij alle zaken voor ons mensen regelt. Wij hebben vrijheid van handelen, zowel in goed als in kwaad."

Ze zwegen geruime tijd. Stefan dronk zijn koffie en staarde uit het raam. „Waar denk je aan?" waagde ze.

„Ik vraag me af hoe het nu verder moet. Je hebt daar een pracht van een dochter rondlopen, maar je kunt haar niet zomaar opeisen."

„Dat was ik ook niet van plan."

„Nee?"

„Ik wil alleen… Ik wil gewoon weten hoe het met haar gaat. Een beetje inspraak hebben bij haar opvoeding en dergelijke. Maar dat zal wel niet mogelijk zijn."

Peinzend keek hij haar aan. „In elk geval zou je daar

uitvoerig over moeten praten, als overleg al mogelijk is. Misschien zijn er afspraken te maken. Maar die vrouw leek me nogal afhoudend."

Ze klemde haar bevende handen ineen en hij legde zijn hand op haar pols. „Ik weet niet wat jij... hoe jij nu over mij denkt," aarzelde ze.

Hij glimlachte. „Laten wij het daar uitvoerig over hebben als we echt samen zijn. Het is me hier te druk. Ik ga vanavond met je mee. Je moet nu niet alleen zijn."

Stefan ging inderdaad met haar mee naar huis en ze zou niet anders hebben gewild.

Zodra ze binnen waren, stak hij van wal. „Ik zie je als een jonge vrouw, een meisje nog, hevig verliefd en niet wetend wat te doen. Je moest kiezen tussen een rijk leven met de man van wie je hield of een zorgelijk bestaan als alleenstaande moeder. Je was net eenentwintig jaar. Ik veroordeel je niet, Lauren. Je hebt de consequenties van die beslissing moeten dragen en je zult dit altijd bij je houden..."

„Je bent wel mild in je oordeel."

„Jij bent te hard voor jezelf." Hij legde zijn arm om haar heen. „Het kan ook zijn dat ik niet over je wil oordelen omdat liefde blind maakt."

„Liefde?" herhaalde ze zacht.

„Hoe wil je dit anders noemen? Ik denk voortdurend aan je. Als ik 's morgens wakker word, is mijn eerste gedachte voor jou. Voor ik ga slapen denk ik aan jou. Ik liep van de week achter een vrouw aan omdat ik dacht dat jij het was."

„Maar we gaan pas enkele weken met elkaar om," zei ze.

„Ik ken je al twee jaar. Als ik op het strand was, keek ik in het natte zand uit naar je voetstappen. Ik kon dan zien welke richting je had gekozen. Soms waren er geen voetstappen en dan was ik bijzonder teleurgesteld. Lieve help, Lauren, hoe wil je dit anders noemen dan liefde?"

„Dan geloof ik toch dat we aan dezelfde symptomen lijden," zei ze met een klein lachje.

Hij trok haar naar zich toe en ze kusten elkaar. „Wil je ergens heen?" vroeg hij met zijn mond tegen de hare. Ze mompelde een ontkenning. Ze had het gevoel dat ze hem beter niet kon loslaten.

Ze gingen nergens heen die avond, hoewel ze in een andere betekenis alle kanten opvlogen. Ze kwamen uiteindelijk terecht op de brede leren bank, terwijl het buiten zachtjes begon te regenen.

## ❄ 13 ❄

Teresa was totaal van streek en Thijs meende te begrijpen waarom dat zo was. Ze zei echter eerst niets. Toen Rosy bij haar op schoot kwam zitten om voorgelezen te worden, hield ze het kind zo stijf vast dat het meisje begon te protesteren. Thijs hoorde aan de stem van zijn vrouw dat het haar moeite kostte het vrolijke verhaaltje op de juiste toon voor te lezen.

Martijn, die meeluisterde, kwam op een gegeven moment naast zijn vader zitten. Hij voelde bepaalde stemmingen altijd haarfijn aan.

Thijs rommelde even door het dikke, bijna zwarte haar. Martijn was zo helemaal zíjn kind. Hij was nu negen jaar, maar Thijs besprak al veel met hem. Te veel misschien, mogelijk omdat Teresa zelden geïnteresseerd was.

Martijn was dol op paardrijden. Rosy wilde het eveneens graag leren, maar Teresa had dit verboden. Er werd het meisje heel veel verboden en dat gaf Thijs weleens zorgen. Rosy was een vrolijk, spontaan kind en ze leek niet echt onder de druk van haar moeder te lijden. Maar Thijs was ervan overtuigd dat dat een keer zou veranderen. Het meisje zou in opstand komen of een nerveus, bangelijk kind worden. Maar Teresa was niet voor rede vatbaar. Gelukkig trok Martijn het laatste jaar veel met zijn zusje op, waardoor ze niet helemaal geïsoleerd raakte. Want als ze een vriendinnetje van school meebracht, had Teresa daar altijd wel iets op aan te merken.

Terwijl zijn vrouw het meisje naar bed bracht, deed hij nog een spelletje met zijn zoon. Hij trok daar altijd een halfuur voor uit. Bij goed weer was het buiten te doen, was het te koud, dan werd het een gezelschapsspel, een puzzel of samen televisie kijken. Thijs vond dat Martijn veel te kort kwam omdat hij van zijn moeder nauwelijks aandacht kreeg. Evenmin als hijzelf trouwens. De gedachte aan een scheiding was weleens bij hem opgekomen. Het ging ook niet echt slecht tussen hen, dacht hij dan weer. Eigenlijk bestond er nauwelijks iets wat op een liefdesrelatie leek tussen hen beiden. Thijs dacht weleens dat ze elkaar niet eens de moeite waard vonden om ruzie te maken.

Toen Teresa weer beneden kwam wierp ze een blik op Martijn en zei kortaf: „Hij moet ook naar bed."

„Straks," antwoordde Thijs even kort. Teresa zweeg. Stilzwijgend was de situatie ontstaan dat Thijs alles regelde wat hun zoon aanging. Rosy was volledig háár dochter.

Thijs wist dat het zwak van hem was dat hij deze regeling vanaf het begin had geaccepteerd. Hij treuzelde met Martijn naar bed brengen, vroeg hem naar school, praatte wat over de manege. Zijn zoon had daar uiteraard geen bezwaar tegen. Maar hij wist dan ook niet dat hij ertegen opzag om naar beneden te gaan. Uiteindelijk kon hij het niet langer uitstellen.

Teresa had de koffie al klaar. Toen hij haar zag zitten, de kleine handen saamgeknepen, haar mond een smalle streep, haar hele houding gespannen, had hij alweer medelijden met haar.

„Wat is er zo erg?" vroeg hij gemoedelijk.

„Zij was er weer. Die vrouw. Volgens mij is zij de moeder van Rosy. Anderhalf jaar geleden was zij hier ook, samen met een andere man. Ze deugt niet, dat is wel duidelijk. Maar daar waren wij het allang over eens, niet?"

„Draaf nou niet zo door. Ik heb haar ook gezien, ze wilde jou spreken. Het lijkt mij verstandig als je daaraan toegeeft. Wat is er mis met een gesprek? Als zij inderdaad de moeder is…"

„Ja. En dan? Vind jij dat ze Rosy gewoon maar kan opeisen?"

„Deed ze dat?"

„Ze wilde over haar praten en haar af en toe zien."

„Wat steekt daar nu voor kwaad in?"

„Het punt is: jij hebt nooit van Rosy gehouden."

„Daar heb je mij de kans niet voor gegeven. Je moet je niet zo overstuur maken. Die vrouw kan het kind niet zomaar van je afnemen, ook niet als zij inderdaad de moeder is."

„Ik kan haar geen moment meer uit het oog verliezen," zei Teresa, alsof ze zijn woorden niet had gehoord.

„Dat deed je toch al niet," zei Thijs hoofdschuddend.

De dagen die volgden, waakte Teresa als een bodyguard over haar dochter. Ze hield het meisje voortdurend in de gaten en riep haar zodra ze even uit het zicht was. Hiermee bereikte ze precies het tegenovergestelde van wat ze wilde. Rosy begon weg te lopen.

De eerste keer dat het gebeurde, strafte Teresa het kind door haar de hele dag binnen te houden. Protesten van Thijs en van Martijn haalden niets uit. Hoewel Teresa wel geschokt was toen Rosy uit de grond van haar hart liet horen: „Ik vind jou een stomme moeder."

„Als je dat kind niet meer vrijheid geeft, zul je haar helemaal verliezen," waarschuwde Thijs haar.

Er kwam uiteindelijk een dag dat Rosy onvindbaar

was. Ze was niet op de plaatsen waar ze zich meestal verstopte, noch bij de manege. Teresa zocht volkomen over haar toeren de hele camping af. Enkele gasten zochten mee, probeerden haar gerust te stellen. „Het kind kent de omgeving; ze zal vast niet verdwalen." De angst van Teresa had echter toch invloed. Iemand stelde voor in de sloot achter het huis te dreggen, waarop Teresa in een hysterische huilbui losbarstte.

Hoewel Thijs in het begin tamelijk laconiek had gereageerd, werd hij nu ook ongerust. In stilte maakte hij zijn vrouw echter verwijten. Het kind had de voortdurende controle niet meer kunnen uithouden, was zijn mening.

Toen het avond werd, was Rosy nog steeds niet gevonden. „Ik ga die vrouw bellen," zei Teresa toen ze voor de zoveelste keer de omgeving hadden uitgekamd.

„Welke vrouw?"

Het was typisch iets voor Thijs dat hij niet wist over wie ze 't had, dacht Teresa bitter.

Lauren had juist een douche genomen en was bezig haar haren te drogen toen de telefoon ging. Ze zei haar naam en toen hoorde ze: „Je hebt het dus toch gedaan. Je hebt haar gestolen."

„Met wie spreek ik?" vroeg Lauren verbouwereerd, en al geneigd om de hoorn neer te leggen.

„Wie denk je? Als je het beste voor je kind wilt, breng haar dan terug." De stem van de vrouw klonk of ze compleet over haar toeren was en opnieuw wilde Lauren de hoorn neerleggen, toen ze ineens de naam van Rosy hoorde.

„Wat is er met haar?" vroeg ze scherp.

„Rosy is spoorloos. Jij zult daar wel meer van weten!"

„Nee, nee, absoluut niet." Lauren was nu ineens bang dat de vrouw de verbinding zou verbreken. „Vertel me wat er gebeurd is."

„Ze is weg," zei de vrouw. Het klonk mat, of ze ineens alle kracht had verloren. Ze was ervan overtuigd geweest dat zij, Lauren, Rosy had ontvoerd, dacht Lauren.

„Ik heb haar niet. Ik zou haar toch niet zomaar uit haar vertrouwde omgeving weghalen. Is de politie ingeschakeld?"

De vrouw antwoordde bevestigend. „Iedereen is nu aan het zoeken. Het begint al donker te worden. Ik weet niet wat ik moet beginnen."

„Zal ik naar u toe komen?" vroeg Lauren zonder veel hoop. De vrouw was voortdurend zo afwijzend geweest.

Nu leek ze te aarzelen. „Goed. Bel me morgenochtend op en als ze dan niet is gevonden... kom dan maar."

Toen Lauren de hoorn had neergelegd, maakte ze zich snel verder klaar. Haar gedachten draaiden maar om één punt. Roseline was verdwenen. De kans dat haar wat was overkomen, was groot. Rosy was altijd in de buurt van die vrouw geweest. De vrouw die ze als haar moeder beschouwde. Hoe kon ze ineens weg zijn?

Ze besloot Stefan te bellen en vertelde hem wat er gebeurd was. „Ik ga er morgenochtend zo vroeg mogelijk heen. Ik bel onderweg wel mijn werk," zei ze.

„Ik ga met je mee," zei hij kalm.

„Stefan, dat hoeft echt niet."

„Ik wil niet dat je alleen gaat," zei hij beslist.

Aan de ene kant was ze opgelucht dat Stefan zich zo bij haar betrokken voelde. Sinds ze Rosy weer had gezien, had ze bijna voortdurend aan het kind gedacht. Ze vroeg zich ook af of Stefan op den duur geen moeite zou hebben met het feit dat zij al een dochter had van bijna zes jaar. Want al was Roseline niet lijfelijk aanwezig, ze zat voor altijd in haar hoofd en in haar hart. Raoul had daar al moeite mee gehad en Rosy was nog wel zijn eigen kind.

Raoul, hij had haar gebeld... hij had gezegd dat hij het meisje terug wilde hebben... Nee, zoiets zou hij niet doen. Of wel? Hij was wel erg stellig geweest door de telefoon. Maar de vrouw had niets gezegd over een bezoek van Raoul. En zoiets kon ze niet vergeten zijn, daar zou Raoul wel voor zorgen. Als hij haar had gedreigd met een juridische procedure, dan zou de vrouw dat gezegd hebben.

Moest ze Raoul bellen dat zijn dochter zoek was? Maar waarom zou ze, hij had Rosy indertijd toch niet willen hebben? Hij had haar, Lauren, min of meer gedwongen het kind af te staan. En het ging Raoul niet zozeer om het kind, maar hij was blijkbaar verliefd op een vrouw die zijn kind wél wilde. Wat op zich al wonderlijk genoeg was. Maar ze dacht niet dat hij iets zou doen wat strafbaar was.

Ze sliep maar een paar uur die nacht en de vogels waren nog maar net met hun ochtendlied begonnen toen ze alweer opstond. Ze besloot onderweg te bellen. Als Rosy was gevonden, zou ze hun toch een bezoek brengen. Misschien stond de vrouw nu wel open voor een gesprek.

Toen ze Stefan belde dat ze wegging en nogmaals zei dat hij echt niet mee hoefde, zei hij: „Ik ben ook klaar. Ik dacht wel dat je vroeg zou gaan. Ik kom bij je langs, dan gaan we samen verder." Het verraste haar dat hij haar al zo goed kende.

Toen ze een halfuur onderweg waren, belde Lauren met haar mobiel naar de familie Luiting. Er werd direct opgenomen en dat was voor Lauren al een teken dat Rosy niet was gevonden. „Thijs Luiting."

„Met Lauren. Ik had gisteravond uw vrouw aan de telefoon in verband met de vermissing van Roseline."

„Weet u waar ze is?" klonk het gespannen.

„Was dat maar waar. Ik ben onderweg naar jullie toe. Is uw vrouw daar ook?"

„Ja. Maar ze is nogal overstuur. Komt u maar gewoon hierheen, als dat is wat u met haar hebt afgesproken."

Na het telefoontje bleef ze geruime tijd doodstil zitten. Haar dochter was weg… verdwenen. Misschien zag ze haar nooit meer terug. En zij was nooit een moeder voor het kind geweest. Niet dat Rosy dat had gemist, maar zijzelf wel. Hoe had ze kunnen denken dat ze haar kind aan anderen kon overlaten en zelf gewoon verder leven?

„Er is haar vast iets overkomen," mompelde ze voor zich heen. Het feit dat Stefan niets zei, bewees dat hij er hetzelfde over dacht. „Er is daar geen water in de buurt behalve een smalle sloot, maar daar is al gedregd. Wat denk jij, Stefan?"

Hij zuchtte. „Ik weet het niet, Lauren. Misschien is ze wat te ver van huis gegaan en verdwaald. Er zijn daar nogal wat bossen in de buurt."

„Maar die vrouw… haar moeder liet haar geen moment alleen."

„Dat moet dan toch wel gebeurd zijn. Een kind van

nog geen zes jaar loopt niet van huis weg, zomaar, omdat ze er genoeg van heeft. Zoiets komt bij pubers voor."

„Ze is dan wel mijn dochter, al ken ik haar niet, maar ze zag er niet uit als een opstandig kind," mompelde Lauren.

Naar haar gevoel duurde het deze keer bijzonder lang voor ze de weg naar de camping indraaiden. Stefan parkeerde de auto vlak bij het woonhuis. De man opende de deur al voor ze waren uitgestapt en wachtte op de stoep.

Ze liepen naar hem toe en Lauren stak haar hand uit. Hij leek te aarzelen, maar drukte deze toch en ze stelde zich formeel voor. „Ik ben Lauren. Jaren geleden heb ik mijn dochter aan jullie toevertrouwd."

Hij fronste. „Dat is mooi uitgedrukt. Je hebt haar achtergelaten in de hoop dat wij voor haar zouden zorgen."

„Ja. En dat hébben jullie gedaan. Geloof me, ik ben nooit van plan geweest haar weer terug te eisen."

Thijs ging opzij om haar binnen te laten. Zijn vrouw stond wat verder in de gang. Haar donkere ogen waren wijd opengesperd, alsof ze de meest vreselijke dingen zag. Ze keek Lauren aan en vroeg: „Als je niets van plan was, waarom kwam je hier dan steeds?"

„Ik ben maar twee keer langs geweest. Ik wilde graag weten of het goed met haar ging."

„Niet meer dus. Waarschijnlijk leeft ze niet meer."

„Teresa! Je moet het kwaad niet oproepen."

Op dat moment kwam er een jongen om de hoek van het huis. Hun zoon, begreep Lauren direct. Hij had het donkere haar van zijn moeder en de rustige blauwe ogen van zijn vader. „Dat is Martijn," zei zijn vader, duidelijk trots.

„En heeft Martijn gisteren niets bijzonders gezien?" vroeg Stefan vriendelijk.

„Wat zou ik gezien moeten hebben?" vroeg de jongen, hem open aankijkend.

„Je weet dat je zusje is verdwenen. Het zou kunnen dat jij iemand op de camping gezien hebt die er niet thuishoorde."

De jongen keek van de een naar de ander, zijn blik bleef het langst op zijn moeder rusten. Dan leek hij een besluit te nemen. „Gisteren was Rosy op de camping. Er was een man die haar zei dat hij een beetje verdwaald was. Hij vroeg haar waar de uitgang was. Rosy liep met hem mee, ze weet hier goed de weg."

Zijn moeder greep hem zo heftig bij de arm dat zijn gezicht pijnlijk vertrok. „Waarom heb je niets gezegd?" vroeg Teresa schril.

Het kind rukte zijn arm los. „Jullie vroegen mij niets."

Lauren kreeg het gevoel dat de verhouding tussen hem en zijn moeder niet bepaald liefdevol was. Terwijl Teresa tegen hem tekeerging, zei dat hij stiekem was en dat hij het liefst wilde dat zijn zusje nooit meer terugkwam, werd het gezicht van de jongen steeds meer gesloten.

Zijn vader legde nu een arm om hem heen. „Vertel het nog eens precies, Martijn. We willen Rosy toch graag terug? Had je de indruk dat die man Rosy wilde meenemen?"

„Helemaal niet. Het was een gewone meneer."

Waarschijnlijk dacht Martijn dat iemand die niet deugde, er ook als een boef uit zou zien, dacht Stefan.

„Was hij oud of jong?" vroeg zijn vader nu.

„Zoiets als zij," knikte Martijn naar Stefan en Lauren. „Hij praatte deftig en hij had een zonnebril op."

„Welke kleur haar had hij?" vroeg Lauren, die een bang voorgevoel begon te krijgen.

Martijn keek van de een naar de ander. „Niet zoals jullie," verklaarde hij.

„Mag ik even bellen?" vroeg Lauren nu. Teresa wees haar het toestel in de kamer, maar bleef wel bij haar staan.

Het duurde even en Lauren begon de moed al op te geven, toen ze Fleurs stem hoorde: „Met het huis van Raoul." Ze sprak zijn achternaam nooit uit, omdat ze daar niet goed uitkwam. Lauren sprak nu Frans, en vroeg naar Raoul. „Hij is niet hier," was het antwoord.

„Waar kan ik hem bereiken?"

„Dat weet ik niet. Hij is in Nederland. Wat wil je van hem?" Brutaal, bemoeizuchtig mens, dacht Lauren.

„Waarom is hij in Nederland?" vroeg ze.

„Zaken," antwoordde Fleur prompt. Lauren begreep dat ze zo niet verder kwam en legde na een korte groet de hoorn neer. Ze passeerde Teresa die haar arm greep.

„Ik moet overleggen."

Niet dan met grote moeite maakte Lauren de vingers van de vrouw los.

„Je hebt een handlanger, waar of niet?"

„Natuurlijk niet. Ik heb je al gezegd dat ik Rosy nooit kwaad zou doen. Ik zal haar ook niet uit haar vertrouwde omgeving weghalen. Tenminste, niet zolang ze hier gelukkig is."

De vrouw staarde haar aan en Lauren besefte dat het laatste min of meer waarschuwend had geklonken. Ze liep terug naar Stefan. „Laten we gaan," zei ze.

„Waar gaan jullie heen? Ik dacht dat je kwam helpen zoeken."

Lauren draaide zich om. „Er is een kleine kans dat ik weet waar Roseline is. Zo gauw ik iets weet, bericht ik jullie. Ik kom hier vandaag nog terug, met of zonder Roseline."

Ze zag de verslagen uitdrukking op Teresa's gezicht en stapte snel in de auto. „Ik durf haar niet te veel hoop te geven," zei ze tegen Stefan.

„Waar gaan we heen?" vroeg deze.

„Terug naar Den Haag. Kunnen we dat met jouw auto doen?"

„Goed. Welke reden heb je daarvoor."

„Roseline heeft een biologische vader. En ik heb je verteld dat hij me deze week belde."

„Lieve help, denk je dat hij haar heeft ontvoerd?"

„Als hij haar echt wil hebben, zijn er weinig andere mogelijkheden, vrees ik. Ik moet hem tegenhouden voor hij met Rosy naar Frankrijk vertrekt."

„Hij wilde geen kinderen," herinnerde Stefan haar.

„Hij heeft nu een vriendin die dat wél wil."

Stefan zweeg en geruime tijd zaten ze beiden in eigen gedachten verdiept. „Ik vraag me af of Teresa wel een goede moeder is," zei Lauren ten slotte.

„Je kunt dat onder deze omstandigheden niet beoordelen. Dat ze van Rosy houdt, is wel zeker."

„Ze verstikt het kind met haar overbezorgdheid," mompelde Lauren. „De vader ergert zich daaraan en dat jongetje is duidelijk jaloers. Ik heb in feite een heel gezin ontwricht door mijn kind bij hen achter te laten."

„Er is geen enkele reden om aan te nemen dat dat zo is," zei hij rustig. „Ze is ontzettend bang om het kind kwijt te raken. Waarschijnlijk omdat ze zich er voortdurend van bewust is dat Rosy niet echt van haar is. Als Raoul haar werkelijk heeft meegenomen, lijkt me dat een trauma voor een kind van nauwelijks zes jaar."

„Misschien zitten we op het verkeerde spoor," zuchtte Lauren. Maar ze kende Raoul. Ze wist dat hij bijzonder halsstarrig kon zijn als hij ergens zijn zinnen op had gezet.

Ze reden naar de flat die Raoul had aangehouden. Deze was onderverhuurd aan een vriend, maar hij kon daar wel altijd terecht als hij in Nederland was. Op haar bellen deed niemand open.

Daarna reden ze naar Raouls kantoor. Ze werd vriendelijk te woord gestaan, maar men zei dat Raoul daar niet was geweest. Ze had geen reden om aan hun woorden te twijfelen. Hij kon overal zijn. Ergens in de stad, bij vrienden. In een restaurant, of alweer onderweg naar Frankrijk.

Er bleef haar nog één mogelijkheid over. Ze wees Stefan hoe te rijden en toen ze voor het verzorgingstehuis stopten, zei hij: „Dit lijkt me niet de meest waarschijnlijke plek om een klein meisje onder te brengen."

„Dat kleine meisje heeft zelf geen stem. Nooit gehad ook," antwoordde Lauren bitter.

Ze liep de hal door, langs de receptioniste, die op de computer bezig was en slechts even opkeek. Lauren wist nog feilloos de weg, maar bedacht ineens dat als Raouls moeder nog verder achteruit was gegaan, zij ook nog op de ziekenkamer kon liggen.

Na geklopt te hebben, opende ze voorzichtig de deur. Mevrouw Lucasse zat zoals gewoonlijk bij het raam. Er kwam een blik van herkenning in haar ogen toen ze Lauren zag. „Zo kind, daar doe je goed aan."

Lauren begroette haar, stelde Stefan voor en keek

intussen koortsachtig rond. Natuurlijk had Raoul hun dochter niet hier verborgen. Na gevraagd te hebben naar de gezondheidstoestand van mevrouw Lucasse, vroeg ze: „Hebt u Raoul kort geleden nog gezien?"

„Ja. Gisteren kwam hij hier met een vrouw en een klein meisje."

„En waar is hij nu?"

De vrouw keek haar opmerkzaam aan. Ze had de paniek in Laurens stem waarschijnlijk gehoord. „Als ik het goed heb begrepen, zouden ze in een hotel overnachten. Hij komt vanmorgen nog afscheid nemen. Kind, ik mag je graag, maar toch lijkt het me beter als je niet op hem wacht. Zoals ik al zei, hij heeft een vrouw bij zich en hij heeft alleen maar oog voor haar. Ik heb geen woord met haar kunnen wisselen. Zij spreekt uitsluitend Frans."

„Goed, dan gaan we weer." Lauren nam wat gehaast afscheid.

„Zal ik hem de groeten doen?" vroeg Raouls moeder nog.

„Nee, doet u dat maar niet. Dat lijkt me niet zo leuk voor die ander."

Mevrouw Lucasse knipoogde. „Ach, jij bent ook niet alleen."

„Zo is dat," glimlachte Lauren.

Eenmaal in de gang, zei ze: „Ik blijf hier bij de lift wachten. Wil jij de trap in het oog houden?"

Stefan vroeg niet verder. Hij begon naar de trap te lopen, intussen luisterend en om zich heen kijkend.

Er was een zitje bij de lift. Lauren wist dat het vreemd moest lijken als een jonge vrouw zoals zij op de lift ging zitten wachten. Hopelijk had het personeel het te druk om zich met haar te bemoeien.

Maar ze hoefde niet lang te wachten. Toen ze voor

de derde keer de lift omhoog hoorde komen, hoorde ze ook het kindergehuil. Ze stond op en klemde haar handen ineen. Met een lichte schok openden de deuren zich.

Achter een bewoonster in een rolstoel verscheen Raoul samen met een donkerharige vrouw die het kind op de arm had. Ze zette het meisje neer zodra ze uit de lift was en snauwde in het Frans dat ze stil moest zijn. Dat had echter geen enkel effect.

Lauren stapte naar voren. „Raoul, dit kun je niet maken!"

Hij scheen nauwelijks te schrikken. „Wat wil je ertegen doen? Ik heb opgehaald wat van mij is."

„Ze is niet meer van jou, evenmin als van mij."

Op dat moment verscheen Stefan naast haar. „Het lijkt me beter de politie te bellen. Dan kan die de zaak eens grondig uitzoeken."

„Overdrijven jullie niet zo. Ik wilde Roseline met mijn moeder laten kennismaken."

„Je wilde haar meenemen naar Frankrijk," beschuldigde ze hem.

Hij bewoog zich wat ongemakkelijk, wierp een geïrriteerde blik op het nog steeds huilende kind. „Kunnen we naar het restaurant gaan? En laat haar alsjeblieft ophouden. Ik heb de laatste jaren genoeg gejank gehoord."

Ondanks deze onaangename opmerking kreeg Lauren toch een beetje hoop. Raoul was niet geschikt als vader en hopelijk zag hij dat zelf ook in.

Beneden was een klein restaurant annex recreatieruimte. Ze zochten een plaatsje bij het raam en Raoul ging koffie halen. De vrouw hield Rosy nog steeds bij de hand en Lauren merkte dat ze zich kwaad begon te maken. Roseline was háár dochter, terwijl dat mens…

Toen Raoul de kopjes op tafel had gezet, zei hij: „Mag ik je eerst even voorstellen: dit is Yvette. Wij gaan trouwen. Maar, zoals ik je al zei, kinderen krijgen zit er voor ons niet in. Yvette kan dat moeilijk accepteren. Toen dacht ik aan deze oplossing."

„Wat in feite geen oplossing ís," liet Stefan zich horen.

Raoul wierp hem een blik toe die zoveel wilde zeggen als: bemoei je er niet mee. „Achteraf was het nogal impulsief," gaf hij toe. „Ik mag dan de biologische vader van dit meisje zijn, ik heb niets met haar. En zij niet met mij. Daarnaast is mij gebleken dat Yvette absoluut niets afweet van kinderen."

„Je hebt dit wel handig bekeken. Vooral in het belang van Roseline," zei Lauren bitter. Ze boog zich naar het meisje toe. Diens groene ogen namen Lauren achterdochtig op. „Zal ik je naar je mama brengen?" vroeg Lauren zacht.

„Weet jij waar ze woont?"

„Ja, ik weet waar ze woont. Papa is daar ook en Martijn."

„En de paarden," bedong het kind.

„En de paarden. Jolly heet jouw paardje toch?" Het kind produceerde een zuinig lachje. Lauren was blij dat ze de naam van de pony had opgevangen.

Het kind rukte haar hand los uit die van Yvette, gleed van haar stoel en kwam naast Lauren staan. Deze legde losjes haar arm om het meisje heen. „Je hebt haar ouders vreselijk in angst laten zitten," zei ze nu verwijtend tegen Raoul.

„Zal ik hen vast bellen?" vroeg Stefan, opstaand. Lauren knikte. Hij ging aan een andere tafel zitten en haalde zijn mobiel te voorschijn. Lauren keek naar zijn geconcentreerde houding en voelde zich warm worden vanbinnen. Hij was er voor haar zonder veel vragen te stellen.

„Jij en Stefan?" vroeg Raoul die haar blik kennelijk had opgevangen. Ze knikte. „En Roseline?"

„Zij blijft bij haar ouders. Tenzij ze zelf ooit anders wil…"

„Als ze jou vergelijkt met degene die nu haar moeder is, dan weet ik wel wie ze uiteindelijk zal kiezen." Lauren besloot dit maar als een compliment op te vatten. „Denk je nog weleens aan Boy?" vroeg ze, hem aankijkend. Hij wendde zijn blik af, ze zag een spiertje in zijn wang trillen.

„Eigenlijk niet," zei hij kortaf. Lauren kende hem echter goed genoeg om te weten dat heel de situatie rond Boy hem meer had aangegrepen dan hij ooit zou toegeven.

Wat later namen ze afscheid. „Je brengt haar dus terug?" vroeg Raoul nog.

„Er zit niets anders op."

„Ik zou af en toe weleens willen horen hoe het met haar gaat."

„Ik ook. Ik zal proberen iets met haar moeder te regelen wat dat aangaat."

„Nou, ik geef je niet veel hoop," bromde Raoul.

„Ik hou je op de hoogte," zei Lauren, waarna ze afscheid namen.

Ze hield Roseline bij de hand toen ze het gebouw verlieten en even later zette ze haar in de gordel op de achterbank. „We gaan nu weer naar je mama," zei ze nog eens. Het kind zei niets. Ze was duidelijk moe van alle emoties. Ze waren nog geen vijf minuten onderweg of ze sliep.

„Vind je 't moeilijk?" vroeg Stefan.

„Als zíj het maar goed heeft. Als ik maar af en toe

iets van haar hoor. Het maakt het gemakkelijker dat wij nu samen zijn." Hij gaf een kneepje in haar hand, maar zei niets. Dat was ook niet nodig. Ze begrepen elkaar zonder veel woorden.

Roseline werd pas wakker toen de auto stilhield voor het huis van haar ouders. Martijn zat op de stoep te wachten en kwam naar hen toe.

„Ze is er weer," zei Lauren vriendelijk. Rosy lachte naar haar broertje.

„Wegloopster," bromde deze.

„Ik was niet weggelopen. Er was een meneer, hij gaf me snoepjes en..." Plotseling zweeg ze en er verscheen een frons boven haar ogen. Het was of ze diep nadacht, maar ze zei niets meer.

Op het moment dat Lauren haar uit de auto hielp, was Teresa daar en rukte het kind naar zich toe. „O Rosy, Rosy, waar was je? Ik was zo ongerust. Voortaan moet je altijd bij mama blijven. Je mág niet weglopen."

„Ik liep niet weg," zei het kind voor de tweede keer. Ze lachte naar haar vader, die ook naar buiten kwam. Ze maakte zich los uit de armen van haar moeder en rende naar hem toe. Op dat moment zag Lauren heel duidelijk dat je een kind niet aan je binden kunt door het min of meer gevangen te houden.

Even dacht ze weer aan Boy. Hij had in zijn lichaam gevangengezeten. Roseline was op een andere manier, maar even benauwend, opgesloten in de armen van deze vrouw.

„Ik zou graag een gesprek met u beiden hebben," zei ze nu.

„Waarover?" vroeg Teresa koel. „Er vált niets te bespreken. Het is voor mij duidelijk dat jullie medeplichtig zijn aan deze ontvoering. Hoe wist je anders waar ze was?"

„Het was haar vader," zei Lauren met een blik op het meisje dat haar met grote ogen aanstaarde. „U zult inmiddels wel begrijpen dat ik de moeder ben. Ik zou graag een paar keer per jaar contact met u opnemen om te weten hoe het met haar gaat."

„Nadat je haar hier eerst hebt gedumpt!"

„Ieder mens kan een fout maken en daar later spijt van krijgen. Lauren vraagt niet veel, dacht ik," liet Stefan zich horen.

„Wat mij betreft is het goed," zei Thijs, de boze blik van zijn vrouw negerend.

„Ik ben niet van plan haar ooit de waarheid te vertellen," zei Teresa fel.

Lauren ving een blik op van Martijn. Hij weet het, dacht ze. Dan zal het voor Rosy ook niet verborgen blijven.

Toen zei de man: „Ik hoop wel dat u ons de eerste tijd met rust laat. Ik weet niet hoe Rosy dit alles heeft ervaren, maar ik wil het liefst dat ze alles vergeet wat gisteren en vandaag gebeurd is."

Lauren keek naar haar dochter die haar voortdurend met de ogen volgde. „Mag ik afscheid van haar nemen?" Ze vroeg dit rechtstreeks aan Thijs. Hij zette het kind neer en gaf haar een duwtje. Lauren strekte haar hand uit en voelde het kleine, warme handje in de hare.

Ze drukte een kus op Rosy's wang. „Vergeet me niet," fluisterde ze. Het kind zei niets, maar bleef haar ernstig aankijken. Toen ze wegreden, bleef ze hen nastaren.

„Dat zijn dus jouw papa en mama," zei Martijn.

Voor hij het wist, had hij een mep tegen zijn oor te

pakken. „Zeg dat nooit meer," siste zijn moeder.

Martijn verbeet zijn tranen. „En tóch is het zo," bromde hij en liep weg.

Rosy zweeg nog steeds. Er was iets wat ze niet begreep. Die man van gisteren had gezegd: ik ben je papa. En nu zei Martijn: dat zijn jouw papa en mama. Het maakte haar onrustig. Je kon toch geen twee papa's en mama's hebben? Ze slaakte een diepe zucht. Ze zou erover nadenken als ze groter was. Maar de kiem voor onzekerheid en wantrouwen was gelegd. Voorlopig zou ze echter geen antwoord krijgen op haar vragen.

Een eind verder op een stille landweg stond de auto stil. Lauren zat met haar hoofd tegen Stefans schouder. „We gaan snel trouwen. Het is de hoogste tijd dat je ergens zeker van bent," zei hij.

„Zeker van jou," zei ze zacht.

„Van elkaar," beaamde hij. „Wie weet wat de toekomst brengt. Ooit kan Rosy zelf kiezen."

„Ik wil dat ze gelukkig is."

„Dat kun jij niet voor haar regelen, liefje. Maar ze ís je dochter en als ze op jou lijkt, heeft ze heel veel mogelijkheden."

Ze keek met een glimlach naar hem op. „En jij? Zie jij nog steeds op tegen kinderen?"

„Daar valt over te praten."

Hij startte en Lauren keek om. Van de camping was niets meer te zien. Maar ze zou hier stellig terugkomen. Ze zou haar dochter nooit helemaal los kunnen laten.

„Wat denk je van een huwelijksreis naar de streek waar onze eerste voetstappen samen liggen?" zei Stefan.

„Onze voetstappen in het zand," zei ze peinzend. Ja, daar lag een deel van haar leven. Het eind van een periode, maar ook een nieuw begin.